# ARTE Y NATURAL

## El sentido de la irregularidad en el arte y la arquitectura

Manuel de Prada
Profesor de Composición Arquitectónica en la Escuela Técnica Superior de Arquitectura de Madrid

de Prada, Manuel
Arte y naturaleza. - 1a ed. - Buenos Aires: Nobuko, 2009.
132 p.: il.; 21x15 cm. - (Textos de arquitectura y diseño)

ISBN 978-987-584-197-0

1. Teoría de la Arquitectura. I. Título
CDD 720.01

Textos de Arquitectura y Diseño

Director de la Colección:
Marcelo Camerlo, Arquitecto

Diseño de tapa:
Sheila Kerner

Diseño gráfico:
Karina Di Pace

Hecho el depósito que marca la ley 11.723
Impreso en Argentina / Printed in Argentina



I.S.B.N.: 978-987-584-197-0

Marzo de 2009

Este libro fue impreso bajo demanda, mediante tecnología digital Xerox en **bibliográfika** de Voros S.A. Bucarelli 1160. Capital.
info@bibliografika.com / www.bibliografika.com

*En venta:*
LIBRERÍA TÉCNICA CP67
Florida 683 - Local 18 - C1005AAM Buenos Aires - Argentina
Tel: 54 11 4314-6303 - Fax: 4314-7135 - E-mail: cp67@cp67.com - www.cp67.com

FADU - Ciudad Universitaria
Pabellón 3 - Planta Baja - C1428BFA Buenos Aires -Argentina
Tel: 54 11 4786-7244

Manuel de Prada

# Arte y naturaleza

nobuko

# ÍNDICE

06 SOBRE LA IRREGULARIDAD PINTORESCA | Parte primera

08 INTRODUCCIÓN
11 Irregularidad y capricho
20 El sentido de la belleza pintoresca
24 Unas notas sobre la arquitectura pintoresca
34 Desde el *pintoresco griego* a Le Corbusier

50 NOTAS

54 NOTAS SOBRE LA TOPOLOGÍA Y EL ORIGEN DEL BRUTALISMO | Parte segunda

56 INTRODUCCIÓN

70 UNA EXPOSICIÓN BRUTALISTA
92 El Hogar del brutalismo
104 Estructuras celulares y ramificadas (cluster y twig)

119 NOTAS

# SOBRE LA IRREGULARIDAD PINTORESCA

## Parte Primera

William Gilpin, *View into a Winding Valley*.

# INTRODUCCIÓN

El actual gusto por la irregularidad, en arquitectura, procede del viejo gusto por lo pintoresco. Enfrentado en ocasiones al gusto por la regularidad, es completamente ajeno, sin embargo, al gusto por el desorden.

Ocurrió que las pinturas de paisajes realizadas en el siglo XVII demostraron, en el XVIII, que la belleza no dependía sólo de la regularidad. En aquel momento se descubrió que los distintos elementos del cuadro se podían conciliar, procurando el equilibrio del conjunto, sin renunciar al contraste y la variedad. Fue entonces cuando la irregularidad comenzó a competir con la regularidad para representar el orden natural de las cosas.[1]

En poco tiempo la pintoresca irregularidad de los paisajes pintados se trasladó al diseño de jardines y edificios, representando la libertad natural, la honestidad, la privacidad y la funcionalidad que, en Inglaterra, se asociaban a la vida en el campo. Frente a la clásica regularidad, la nueva irregularidad no sólo resultaba bella y emocionante, sino también adecuada y conveniente.

La regularidad, finalmente, perdió buena parte del poder que tuvo en otros momentos de la historia para representar el orden de las cosas. La simetría, por ejemplo, se volvió insignificante en arquitectura, y el hecho de que se siga asociando con la dogmática autoridad del poder absoluto hace innecesario descalificarla, por ejemplo relacionándola con la homosexualidad, como hiciera Bruno Zevi hace unas décadas.

Es verdad que el orden tiende a ocultarse en el arte. Podría pensarse que se impone la irregularidad, que la arquitectura ya no aspira a representar el orden de las cosas, que los antiguos ideales de orden han sido sustituidos por ocurrencias, que la originalidad ya no se encuentra en el origen, sino en el interior del sujeto, y que se han olvidado aquellas condiciones de la belleza formal a las cuales Semper refería la arquitectura: la *euritmia*, la *proporción* y la *dirección*. Pero la pura irregularidad, al margen del orden, es difícil de concebir.

Muchas veces se ha escrito que los defensores del gusto pintoresco se enfrentaron al gusto clásico, que los románticos se enfrentaron al orden racional y que el sentimiento, en el siglo XVIII, comenzó a imponerse en el arte. Las contiendas filosóficas entre los defensores de la existencia *a priori* de un orden objetivo y los que, negándola, defendían la experiencia y la sensibilidad individual, contribuyeron a que las apreciaciones sobre el gusto parecieran irreconciliables.

Resulta chocante, sin embargo, que aquellos que primero defendieron la importancia de las sensaciones en la producción y disfrute de las obras de arte, es decir, los defensores del gusto por lo pintoresco y los primeros románticos, no opusieron la sensibilidad individual a un orden ideal, sino que la pusieron a su servicio.

Poniendo en primer plano la sensación, pretendían mostrar que un arte vivo no puede reducirse a un conjunto de reglas y recetas; pretendían mostrar, en definitiva, que el orden objetivo de las *razones* y el orden subjetivo de las de las sensaciones deben idealmente conciliarse.

Pronto, sin embargo, apareció la confusión. Unas veces condicionada por el empleo de calificativos poco adecuados. El *desorden pintoresco*, por ejemplo, tantas veces mencionado, no es de ningún modo desorden, sino un orden complejo que, en lugar de fundarse en la geometría, se fundamenta en los efectos sensibles de equilibrio y contraste. Otras veces por el afán, al parecer tan natural, de enfrentar las posiciones confundiendo los términos. Así, cuando se defendía el orden frente a la libertad, se solía confundir la libertad con el capricho; cuando se defendía la libertad frente al orden, se confundía el orden con la receta. En ambos casos la síntesis resultaba insignificante porque el sentido se encontraba en el enfrentamiento.

Este tipo de confusiones fueron tan comunes, que afectaron al pensamiento de notables filósofos, como Hegel, que confundió la ironía defendida por los primeros románticos con el capricho. La vida artísticamente irónica, según Hegel, ha recibido el nombre de *divina genialidad* para la cual todo y todos son cosas desprovistas de sustancia, cosas a las que el creador libre, liberado de todo, no puede apegarse, ya que puede tanto destruirlas como crearlas. El arte entonces muere, pensaba Hegel, como institución supraindividual, esto es, como inmediata comunión de la colectividad con el orden del Universo.[2]

Sabía que no es posible producir obras de arte acomodándose simplemente a las reglas, pero rechazó la importancia que concedió Schlegel a la ironía considerando que lo irónico, *que es lo propio de la individualidad genial*, consiste en la destrucción de todo lo que es noble, grande y perfecto, así como en la reducción del arte a la simple representación de la pura subjetividad. De ahí, según Hegel, que el artista irónico suela quejarse siempre de la incomprensión del público. No se debe olvidar, concluyó, que el genio, para ser fecundo, debe poseer un pensamiento disciplinado y cultivado, así como una práctica más o menos larga. La verdadera inspiración, pensaba Hegel, se consigue en la madurez.

Para evitar la confusión, e intentar comprender que la denominada *irregularidad pintoresca* fue originalmente referida a un orden ideal, es necesario replantear sin prejuicios las ideas de los que primero defendieron el gusto pintoresco viendo en él la posibilidad de conciliar los órdenes racional y sensible.

## Irregularidad y capricho

En los últimos años del siglo XVII, aquéllos que defendieron una relativa libertad en el diseño, lo hicieron dando por supuesto la necesidad de referirla a un orden ideal. Esta consideración fundamental, sin embargo, ha permanecido en segundo plano, eclipsada por los enfrentamientos entre *antiguos* y *modernos*.

En el año 1683, por ejemplo, Claude Perrault (*Ordonnance des cinq especies de colonnes selon le méthode des Anciens*) distinguió entre una belleza objetiva (*convaincante* o convincente), que agrada siempre de forma natural, y una belleza *arbitraire*, que depende de las costumbres y del gusto particular de cada individuo. No negaba el valor de los principios de orden heredados de los *antiguos*, sino que sólo afirmaba la posibilidad de innovar apoyándose en ellos: *quiero que los antiguos me enseñen a pensar bien, pero no me gusta copiar sus pensamientos*, escribió.

Los fundamentos positivos de la arquitectura eran, para Perrault, la conveniencia y el uso: *el principio que llamo arbitrario es la belleza, que depende de la autoridad y de la costumbre; aunque la belleza en cierto sentido también se basa en un fundamento positivo, que es la conveniencia razonable y la adecuación que cada parte posee en relación con el uso al cual está destinada.*

Estos fundamentos, sin embargo, no se referían a la utilidad o el confort. Es suficiente contemplar la fachada del Louvre para entender que se referían al orden.

La belleza *arbitraria* que dependía de una autoridad caprichosa, de la costumbre y del gusto particular de los individuos era, para Perrault, algo parecido a lo que hoy entendemos por *moda*. La belleza convincente, por el contrario, era la belleza de siempre.

Pero la confusión aumentó cuando la autoridad de las antiguas ideas quedó definitivamente asociada a la despótica, arbitraria y caprichosa autoridad de los gobernantes. Esto hizo que se radicalizara el enfrentamiento entre *antiguos* y *modernos*, los primeros acusando de veleidosos a los segundos y éstos acusando a los primeros de defender, por encima de todo, la autoridad despótica y caprichosa del orden: cinco años después de que Claude publicara su obra, su hermano Charles publicó *Paralléle des anciens et des modernes*, donde, alineándose con los *modernos*, rechazó el predominio de la belleza objetiva sobre el gusto individual.

Para rematar, en el año 1690, dos años después de viera la luz la obra de Charles Perrault, el filósofo inglés John Locke publicó *An essay concerning human understanding*, donde declaró que todo conocimiento procede de la experiencia; que tanto el pensamiento como las ideas se construyen a partir de las percepciones sensibles y que no existen, por consiguiente, ideas universales e innatas.[3]

La influencia del pensamiento de Locke fue determinante pues, además de imponer una visión del mundo empirista y subjetivista, inició la decadencia del idealismo. Y a pesar de los esfuerzos posteriores de los idealistas alemanes para recuperar el papel de la Idea en el arte, entendiéndola como síntesis entre los mundos objetivo y subjetivo, entre el orden y la libertad, las ideas terminaron confundiéndose con las nociones y las ocurrencias.

Lo curioso fue que Locke, situando el conocimiento intuitivo por delante del demostrativo y declarándolo *el más claro y cierto*, no se detuvo a considerar la importancia de la intuición en el arte. La libre intuición del artista, así menospreciada, comenzó a confundirse con el gusto individual. La mayoría de sus contemporáneos, no obstante, siguieron confiando en la necesidad de referir la libertad en el diseño a un orden objetivo.

Claude Lorrain. *Paisaje con pastor y rebaño al borde de un bosque*. C. 1640.

En el año 1709, el Conde de Shaftesbury (Lord Ashley), amigo de Locke, publicó el ensayo titulado *The Moralists, a Philosophical Rhapsody* donde, además de defender, como Locke, que la libertad de los ciudadanos es el fundamento de la sociedad moral, defendía que la misma idea de libertad pertenece al orden natural de las cosas.

Para Shaftesbury, el orden natural de las cosas se encontraba, en primer lugar, en la Naturaleza. Este era el orden generador (y *genuino*) del *Gran Genio* y del *Genio del lugar*; un orden situado por encima del arte, la vanidad y el capricho de los hombres.

*No podré resistir más la pasión que crece en mí hacia las cosas de orden natural; allá donde ni el Arte ni la vanidad ni el capricho de los hombres haya echado a perder su orden genuino destruyendo su primitivo estado,* escribió.[4]

Incluso las rocas rudas, las musgosas cavernas, las irregularmente labradas grutas, las cascadas y los desiertos, resultaban más atractivas a Shaftesbury que el remedo formal de los jardines principescos. La libertad, condición del *Genio del lugar*, según Shaftesbury, exigía que las cosas tuvieran la forma que correspondía a su naturaleza.

En consecuencia, cualquier intento de imponer a un ser una forma que no estuviera de acuerdo con su naturaleza, comenzó a ser considerado un acto autoritario, arbitrario y caprichoso. Y *capricho* comenzó a considerarse, en Inglaterra, diseñar jardines con formas geométricas y modelar las copas de los árboles. La influencia de los paisajes pintados medio siglo antes por Claude Lorrain y Nicolas Poussin, como se verá, fue decisiva en la formación de dicha sensibilidad.

Finalmente, la mencionada asociación entre autoridad, despotismo y capricho se aplicó a la geometría, quedando la irregularidad asociada con la libertad natural, con la sensibilidad y con los placeres de la imaginación.

En el año 1712, Joseph Addison analizó los aspectos sensibles que concurren en el gusto, relacionándolos con los placeres de la imaginación. Siguiendo en parte el pensamiento de Locke, así como las consideraciones respecto a lo sublime realizadas siglos atrás por Longino y años antes por Boileau, señaló que los placeres de la imaginación son a veces preferibles a los placeres del entendimiento.[5] Reconocía la importancia de los placeres del entendimiento. También que dichos placeres, como es obvio, no se oponen a los de la imaginación. Pero pensaba que presentan, frente a los del entendimiento, las ventajas de ser inocentes, *inmediatos, saludables y fáciles de adquirir.*

Los placeres de la imaginación, según Addison, surgen originariamente de la vista, y pueden ser primarios, cuando provienen de los objetos que tenemos delante, o secundarios, cuando proceden de ideas o visiones de cosas ausentes. Consideraba que las fuentes de los placeres primarios de la imaginación son la grandiosidad, lo extraordinario (lo nuevo o lo extraño) y lo bello. A lo grandioso, según Addison, no pertenece sólo lo grande, sino también lo que causa agradable asombro, como las vistas (*prospects*) de un campo abierto, un desierto, las vastas extensiones de agua o las grandes masas de montañas, riscos y precipicios elevados. A lo extraordinario pertenece todo aquello que, por su novedad o singularidad, nos causa agradable sorpresa. Lo extraordinario reclama la variedad, sirve de alivio al tedio que produce lo ordinario y hace que resulten agradables, incluso, las imperfecciones de la naturaleza. *Así, no hay cosa que más anime un paisaje que los ríos y las cascadas.*

A pesar de todo, no negaba que lo grandioso y lo extraordinario se relacionaran con la belleza y la regularidad. Nada hay que más directamente camine hacia el alma, escribió, que la belleza, *pues da la última perfección a lo que es grandioso o extraordinario.*

*Esta belleza consiste en la simetría y proporción de las partes, en la ordenación y disposición de los cuerpos, aunque ninguna belleza place más a la vista, que la de los colores, como en el caso de los cielos al salir y ponerse el sol.* Además añadió: *sin saber cómo nos causa sensación la simetría de la cosa que vemos, y reconocemos instantáneamente la belleza de un objeto sin necesidad de indagar la causa.*

Addison, es verdad, pensaba que las obras de la naturaleza son preferibles a las del arte; que las obras del arte pueden aparecer algunas veces tan bellas o singulares como las de la naturaleza, pero que nunca tendrán su grandeza e inmensidad. Reconoció, sin embargo, que las obras de la naturaleza resultan tanto más agradables cuanto más se parecen a las obras de arte, pues en este caso el placer nace de un principio doble: el agrado que los objetos naturales causan a la vista y su semejanza con los objetos del arte. De esta doble consideración proviene el deleite que nos causan las cosas que, siendo obra del azar, puedan parecerlo del arte.[6]

Apareció así la posibilidad de retocar la naturaleza para aproximarla al ideal que expresaban las pinturas de paisajes y el ingenioso arte de los jardineros chinos.

*Seré acaso singular en mi modo de pensar, pero con más gusto veo un árbol con todo su follaje y lozanía, que dispuesto y contorneado en alguna figura matemática, y un vergel florido y ameno me parece más delicioso que todos los pulidos laberintos del jardín más acabado.* El poeta, según Addison, puede pintar o reunir en su descripción las bellezas de la primavera y el otoño; puede crear nuevas flores y, con la misma facilidad, puede hacer que una cascada se precipite desde una altura de media milla o de veinte varas; puede elegir los vientos y torcer el curso de los ríos a su gusto. En pocas palabras, el poeta, aceptando la naturaleza como modelo, *puede darle los encantos que guste, con tal de que no la reforme demasiado y caiga en absurdos por querer aventajarla.*

Addison, en definitiva, consideraba que el artista puede apartarse de la naturaleza para crear libremente su obra siempre que no pretenda aventajarla con absurdos y que tenga en cuenta aquello que la naturaleza, idealmente, podría producir. Ésta era una idea tan aceptada que incluso los racionalistas, como Boileau, pensaban que el arte debía recoger de la naturaleza lo que tiene de más noble y transformarla *de lo que es, a cómo debería ser*. Era el antiguo consejo de Aristóteles para la tragedia: no importa tanto el contar las cosas como sucedieron en realidad, sino como *debieran o pudieran haber sucedido, probable o necesariamente*, lo cual equivale a decir, conforme al orden ideal o la naturaleza de las cosas.

La posibilidad de componer libremente de acuerdo con un orden ideal, por otro lado, se había materializado años atrás en los paisajes imaginarios de Rembrandt y Rubens, así como los que realizaron, influidos por ellos, Nicolas Poussin y Claude Lorrain.

La influencia de las pinturas de Poussin y Lorrain en las ideas de Saftesbury y Addison, y por extensión en la formación del gusto pintoresco, ha sido muchas veces comentada.

Claude Lorrain. *Paisaje cerca de Roma con vista del Ponte Molle*. 1645.

Nicolas Poussin. *Paisaje con Orfeo y Eurídice*. 1659.

Poussin descubrió en Roma que los paisajes pintados podían producir impresiones en el espectador análogas a las que él sentía en los campos del Lacio (con sus contrastes, sus ruinas y sus montañas al fondo) si los componía como escenarios. Los árboles, edificios, ruinas, montes, rocas, lagos y personajes eran los elementos que se debían componer, bajo los efectos de la luz, con el fin de producir un conjunto bello y unitario, pero también emotivo, singular y evocador. El dibujo, en el cuadro, representaba la idea objetiva; el cambiante colorido, la apariencia. El reto era conseguir, mediante los efectos de contraste, la unidad ideal del conjunto.

En la pintura *Paisaje con Orfeo y Eurídice*, por ejemplo, realizada en el año 1648, el irregular conjunto edificado de la izquierda, que se encuentra fuertemente iluminado por el sol del atardecer, adquiere brillo y profundidad merced al acusado contraste que pesenta con los oscuros elementos naturales situados a la derecha. El conjunto edificado adquiere protagonismo al actuar como contrapeso perceptivo de los elementos que se encuentran situados al otro lado de la composición.

*Mi naturaleza me hace buscar y estimar las cosas bien ordenadas y huir de la confusión, que me es contraria y enemiga*, escribió Poussin.

Al igual que Poussin, Lorrain se fijó en los paisajes holandeses pintados por Rubens y Rembrandt para concebir sus pinturas como escenarios y así evocar determinadas sensaciones en el espectador. Según Lorrain, la naturaleza y los edificios eran los protagonistas; los personajes eran *de regalo*. Pero el objeto de su pintura, como el de Poussin, era la unidad ideal del conjunto.

Más adelante, otros descubrieron que los jardines se podían componer del mismo modo, esto es, procurando alcanzar la unidad del conjunto mediante el libre juego de los contrastes: *atiende a la Sensación, el Alma de cada Arte; partes que contestan a partes, llegarán a un todo*, escribió Alexander Pope en su *Epistle to lord Burlington*.[7]

*Atendiendo a la sensación*, los jardineros se inspiraron directamente en las pinturas de paisajes, tomando unas veces de ellas escenas aisladas, y otras utilizándolas de modelos, tanto en lo que se refiere a su simbolismo y su poder evocador, como a su forma.

El nuevo jardín, finalmente, terminó asociándose a los ideales de utópica libertad (social) que se desarrollaron en Inglaterra a lo largo del siglo XVIII. La vida en el campo comenzó a relacionarse con la virtud y la salud. La vida en la ciudad, con el vicio y la enfermedad. El diseñador de jardines, en consecuencia, intentó reproducir las formas del paisaje natural, controlándolas o superándolas, para producir en el paseante efectos emotivos comparables a los que producían en el espectador las imaginativas pinturas de paisajes.

Pero la irregularidad de los nuevos jardines no respondía al capricho del diseñador, sino a criterios y principios compositivos, generalmente no escritos, que se debían tener en cuenta para conseguir la unidad ideal del conjunto. Los contrastes entre superficies lisas y rugosas, entre luces y sombras, entre elementos naturales y artificiales, al igual que ocurría en las pinturas de paisajes, respondían a la necesidad de alcanzar un orden ideal y arquetípico. Otra cosa es que, para simplificar, todavía se usaran, referidos al nuevo jardín, los términos *informal* y *desorden pintoresco*.

Es verdad que el jardín paisajista representaba una idea de libertad que se oponía al caprichoso formalismo de los jardines geométricos. De acuerdo con Adrian von Buttlar, *el nuevo jardín refleja el cambio fundamental de la sensibilidad occidental para con la naturaleza que, en pugna con el racionalismo, evolucionó hasta transformarse en un sentimiento individual de la misma basado en la contemplación y la intuición.*[8] Pero los primeros promotores del gusto pintoresco, como Shaftesbury y Addison, ya avisaron que el sentimiento y libertad individual sólo excluyen la regularidad cuando ésta atenta contra el orden natural.

En los jardines paisajistas, de hecho, la regularidad y la irregularidad se lograron conciliar, unas veces refiriendo los elementos a un eje, como en el Jardín de Pope en Twickenham, en el jardín de William Kent, en Rousham y en el jardín de Lancelot Brown, en Blenheim, y otras contrastando el orden clasicista de los edificios con la irregularidad del jardín, lo cual se consideraba natural porque no representaban aspectos opuestos del mundo, sino complementarios. Representaban, en definitiva, los aspectos *generante* y *generado* de la Naturaleza, la *Natura naturans* y *Naturans naturata* de los antiguos, que todavía se identificaban con la energía creadora y ordenadora de los objetos del mundo, el primero, y con el conjunto de cosas existentes, el segundo. Wittkower y Assunto, finalmente, aclararon la profunda relación que existió entre el clasicismo y el jardín paisajista.[9]

## El sentido de la belleza pintoresca

La palabra *picturesque* fue empleada por William Gilpin en la última década del siglo XVIII para indicar *ese tipo de belleza que parecería bien en un cuadro*. La idea no era nueva, pero después de que Gilpin precisara su contenido, pudo aplicarse a todo aquello que agrada o impresiona por su singularidad o porque reclama la atención con la fuerza de una pintura de paisaje.[10]

Los *ensayos sobre la belleza pintoresca* de Gilpin, publicados en 1792 (*On Picturesque Beauty; on Picturesque Travel; ando n Sketching Landscape*) así como los posteriores de Uvedal Price (*Essays on the Picturesque, as compared with the sublime and Beautiful*, publicado en 1794) y Richard Payne Knight (*The Landscape a Didactical poem* y *Analytical Inquiry into the Principles of taste*, publicados en 1794 y 1801 respectivamente), diferenciaron lo pintoresco, tanto de lo bello como de lo sublime.

Los argumentos de Gilpin se apoyaron en los de Shaftesbury, Addison y Burke; especialmente en aquellos que distinguían entre lo bello, que sólo gusta, y lo sublime, que produce una fuerte emoción. Es conocido que Edmund Burke, en su influyente obra *Indagación filosófica sobre el origen de nuestras ideas acerca de los sublime y lo bello*, publicada en 1757, negó que la belleza fuera debida a una proporción absoluta entre las partes, afirmando que, en todo caso, se debía a la adecuación entre la proporción y la utilidad del objeto. Así, frente a la estética de la belleza ideal (que, según Burke, permite relacionar lo bello con lo pequeño, la tranquilidad, lo suave y lo luminoso), propuso una estética de lo sublime, fundamentada en el sobrecogimiento que producen la grandiosidad, el poder, la textura rugosa, la oscuridad, la vastedad, la sucesión y la uniformidad.

Consideraba *sublime,* además, la impresión que producen los fuertes contrastes, lo excesivo y lo imprevisible, pero no la irregularidad: *nada*

William Gilpin. Página del cuaderno
*Remarks on Forests* con dos acuarelas.
Bosque en el llano y bosque en la colina. 1781.

*hay más perjudicial para la grandeza de los edificios que tener demasiados ángulos*, escribió.[11]

Gilpin, siguiendo en parte a Burke, distinguió entre aquellos objetos que son sólo bellos, placenteros a la vista en su estado natural, y los objetos pintorescos, que resultan placenteros debido a alguna cualidad capaz de ser ilustrada por la pintura. *Pintoresco*, por tanto, pasó a ser todo objeto digno de ser pintado, no tanto por su belleza, como por su capacidad para producir en el contemplador una intensa emoción.

Ahora bien, los admiradores de lo pintoresco, según Gilpin, *no consideramos que toda la belleza consiste en la belleza pintoresca, sino que sólo distinguimos entre las escenas que son bellas, placenteras y agradables, y aquellas otras que son pintorescas*. (Carta a William Lock. 12 de Octubre de 1791).

El problema, en este caso, era definir qué cualidades caracterizan los objetos pintorescos. Esas cualidades, para Gilpin, eran la rugosidad (o irregularidad) y la aspereza: la *regularidad, otro nombre para la suavidad; y las imágenes de la naturaleza en la irregularidad, otro nombre para la aspereza*.

Asumiendo la distinción de Burke entre lo bello y lo sublime, Gilpin relacionó lo bello con los objetos pequeños, lisos, pulidos, claros, ligeros, delicados y con suaves curvaturas, y lo sublime, por el contrario, con los objetos grandes, ásperos, negligentes, oscuros, opacos, sólidos (e incluso macizos) y de líneas rectas o fuertes curvaturas.

Pensaba que la suavidad (o tersura), aunque podía ser fuente de belleza, no era suficiente para producir belleza pintoresca. En la representación pintoresca, no causan placer la lisura y la suavidad, sino la aspereza y la rugosidad que se encuentran, por ejemplo, en algunas superficies y contornos naturales, en la corteza de un árbol, en una cima escarpada o en las pedregosas laderas de una montaña.

En las pinturas de paisajes, pensaba Gilpin, los objetos suaves o regulares jamás producirán un efecto pintoresco. *Una obra arquitectónica de Palladio puede ser elegante en grado sumo. La proporción de sus partes (la conveniencia de sus ornamentos) y la simetría del todo pueden ser altamente placenteras. Pero si la incorporamos a una pintura, inmediatamente pasará a ser un objeto afectado y dejará de agradar. Si deseamos dotarla de belleza pintoresca, deberemos emplear el mazo en lugar del cincel, tendremos que derribar la mitad del edificio, mutilar la otra mitad y tirar los fragmentos amontonados por los alrededores. En resumen, tendremos de convertir un edificio cuidadosamente acabado en una tosca ruina.*

Un elegante jardín, tampoco produce ninguna impresión representado en un cuadro. Si queremos *belleza pintoresca, hagámoslo agreste: convirtamos la pradera en un campo abrupto; plantemos ásperos robles en lugar de arbustos floridos, quebremos la linde del paseo, démosle la tosquedad de un camino, marquémoslo con rodadas y desparramemos unas cuantas piedras y algo de maleza.*

La variedad y el contraste eran, para Gilpin, las principales condiciones de lo pintoresco. *Si en la composición pintoresca es necesaria la variedad, igualmente lo es el contraste, y ambas cualidades se encuentran en los objetos toscos y ninguna de ellas en los suaves. La composición pintoresca consiste en unir en un todo una variedad de partes, y estas partes sólo pueden obtenerse de objetos toscos. ¿Hay acaso mejor adorno para un paisaje que las ruinas de un castillo?*, se preguntaba.

En el caso de un retrato, no resulta pintoresca la suavidad del hermoso rostro de un joven, sino las profundas arrugas, los músculos fuertemente marcados y la enmarañada barba que dan carácter a una cabeza patriarcal. El cuerpo humano en movimiento resultaba, para Gilpin, siempre más pintoresco que en reposo.

Pero lo pintoresco refería la irregularidad a un orden preexistente; al orden natural, en el caso del jardín, al orden del rostro, en el caso de la cara arrugada, al orden del cuerpo humano, en el caso del cuerpo en movimiento, y al orden de la construcción, en el caso de la ruina.

Gilpin no pensaba que la belleza pintoresca surgiera como la consecuencia inmediata de romper caprichosamente lo formado sino, por el contrario, como resultado de aproximar lo existente a un arquetipo o idea. En su ensayo, titulado *Sobre el viaje pintoresco*, por ejemplo, escribió lo siguiente: *la naturaleza es el arquetipo. Por eso, cuanto más fuerte sea la impresión que nos cause, mejor será el juicio... La sublimidad sola no puede hacer que un objeto sea pintoresco... Nada puede ser más sublime que el océano, sin embargo, sin nada que lo acompañe, tendrá poco de pintoresco. Tampoco las formas curiosas o fantásticas, por sí solas, resultan pintorescas.*

En el ensayo titulado *Sobre el arte de abocetar paisajes*, aclaró: tenemos que recordar siempre que la naturaleza es sumamente defectuosa en cuanto a composición y que debemos asistirla un poco.

En resumen, para Gilpin, lo pintoresco debía necesariamente referirse al arquetipo o la idea que se expresa en la naturaleza.

Unos años después, Price y Knight vincularon lo pintoresco a la irregularidad de lo rústico, insistiendo en la diferencia entre la categoría de lo pintoresco y las categorías estéticas de lo bello y lo sublime.[12]

## Unas notas sobre la arquitectura pintoresca

A finales del siglo XIX, Wölfflin explicó que los historiadores del arte coinciden en considerar como marca esencial de la arquitectura barroca su carácter pintoresco. También aclaró que los términos *arquitectura estricta* (del Renacimiento) y *arquitectura pintoresca* (del Barroco) *nunca se excluyen*.[13] Años después, Manfredo Tafuri explicó que el Barroco, lejos de poner en cuestión el valor del lenguaje clásico, demostró su universalidad.

Según Wölfflin, lo pintoresco se funda sobre la impresión de movimiento, implicando el predominio de la masa sobre la línea y del espacio sobre el plano. El ordenamiento simétrico, el alineamiento uniforme y la disposición métrica no responden a las exigencias del *estilo pintoresco*. Este *estilo* prefiere el *agrupamiento accidental*, aunque dicho agrupamiento sea sólo accidental en apariencia, pues su razón de ser se encuentra en el reparto preciso de las masas y los efectos de sombra y luz.

La distinción que realizó entre las formas *cerradas* y las *abiertas* (referida a las formas del Renacimiento y el Barroco) con el fin de superar las objeciones que él mismo puso a la relación entre lo pintoresco y lo barroco, requería una aclaración. Según Wölfflin, mientras la *forma cerrada* corresponde al estilo tectónico, el orden vinculante y la clara legitimidad, la *forma abierta* corresponde al estilo *atectónico*, la legitimidad más o menos disimulada y el orden libre: *allí, el nervio vital de todo efecto radica en la necesidad de la estructura, la imposibilidad absoluta de desplazamiento; aquí, en cambio, el Arte juega con la apariencia de lo irregular*. Pero a continuación precisó: *juega, decimos, pues en sentido estético a todo arte le es necesaria, naturalmente, la forma.*[14]

El pintoresco *juego con la apariencia de lo irregular*, que Wölfflin encontraba en las formas del Barroco, era el juego de las grandes mansiones de Vanbrugh y, sobre todo, el juego que los ingleses habían descubierto en sus irregulares casas de campo.

La irregularidad de los *castles*, *cottages* y *manor houses*, que provocaba entre los ingleses gratas asociaciones de ideas relacionadas con la tradición, pasó a considerarse un valor en relación con las pinturas de paisajes. Es conocido que el pintor Joshua Reynolds recomendó a los arquitectos que aprendieran de la pintura y dotaran de un carácter escenográfico a sus edificios recurriendo a la irregularidad pintoresca.

Según John Summerson, hasta la última década del XVIII, en Inglaterra, el gusto dominante fue el Neoclásico. Pero, a partir de esos años, el gusto por lo pintoresco se radicalizó, imponiéndose en la arquitectura residencial. Esta segunda fase del Neoclasicismo, según el historiador, comenzó con un culto al paisaje que era tan hostil a los jardines formales como a los refinamientos y convencionalismos de Lancelot Brown. Los promotores de esta radicalización del gusto pintoresco, como se ha indicado, fueron Uvedale Price, Payne Knight y Humphry Repton.

Antes que ellos, sin embargo, John Vanbrugh había considerado que la arquitectura vernácula podía ser contemplada como un incidente afortunado en el paisaje capaz de mejorar la naturaleza o suplir sus carencias.

Vanbrugh, en el año 1709, escribió que la vieja Woodstock Manor debía conservarse entre los jardines de Blenheim para *mover a más vivas y agradables reflexiones* sobre los hechos que ocurrieron en tiempos pasados. La conservación de los viejos e irregulares edificios, según Vanbrugh, permite que éstos se combinen con el paisaje para crear conjuntos más agradables, incluso, que los conjuntos compuestos por los pintores paisajistas.

Aunque Vanbrugh perdió la batalla por la conservación de Woodstock Manor contra la duquesa de Marlborough, sus ideas tuvieron gran repercusión en Inglaterra. En el año 1773, por ejemplo, Robert Adam escribió que Vanbrugh estableció en arquitectura la importancia del *movimiento*. El *movimiento*, según Adam, *tiene que expresar el levantarse y el caer, el avance y el retroceso, con otra diversidad de formas, en las distintas partes de un edificio, de tal modo que ayude al pintoresquismo de la composición. Porque el alzarse y el caer, el avance y el retroceso, con la concavidad y la convexidad... producen el mismo efecto en arquitectura que, en el paisaje, producen el monte y el valle, el primer término y el fondo, la protuberancia y la depresión; es decir, sirven para producir un contorno diverso y agradable que agrupa y contrasta los elementos de la misma manera que ocurre en un cuadro, y crea una variedad de luces y sombras que dan vivacidad, belleza y gran efecto a la composición*.[15]

Otros arquitectos ingleses, aceptando el clasicismo, compartían la admiración de Vanbrugh y Adam por las irregulares residencias vernáculas. Pero Vanbrugh fue el primero que decidió construir una residencia irregular debiendo su fama a grandes residencias clasicistas. Según Pevsner, la casa de campo que Vanbrugh proyectó para su disfrute, ampliando un conjunto simétrico existente, fue el primer edificio proyectado por un arquitecto con una asimetría intencionada.

Resulta más significativo, sin embargo, que Vanbrugh no encontrase contradicción entre sus maneras clasicista y libre de componer, pues este hecho indica que ambas maneras no se consideraban excluyentes en Inglaterra, sino complementarias. Ambas, de hecho, formaban parte de la tradición.

La irregularidad de la casa de Vanbrugh respondía a la irregularidad de la arquitectura vernácula. Pero no sólo anunciaba una arquitectura residencial en la cual el movimiento no afecta, como descubrió Knight en Downton, a la *índole original de la obra*, sino también, el propio gusto por lo pintoresco.

Al margen de Vanbrugh, uno de los personajes que más contribuyeron a trasladar el gusto por lo pintoresco a la arquitectura fue John Nash; un arquitecto poco valorado en Inglaterra hasta que, en la tercera década del siglo XX, fue rehabilitado por John Summerson, quien le

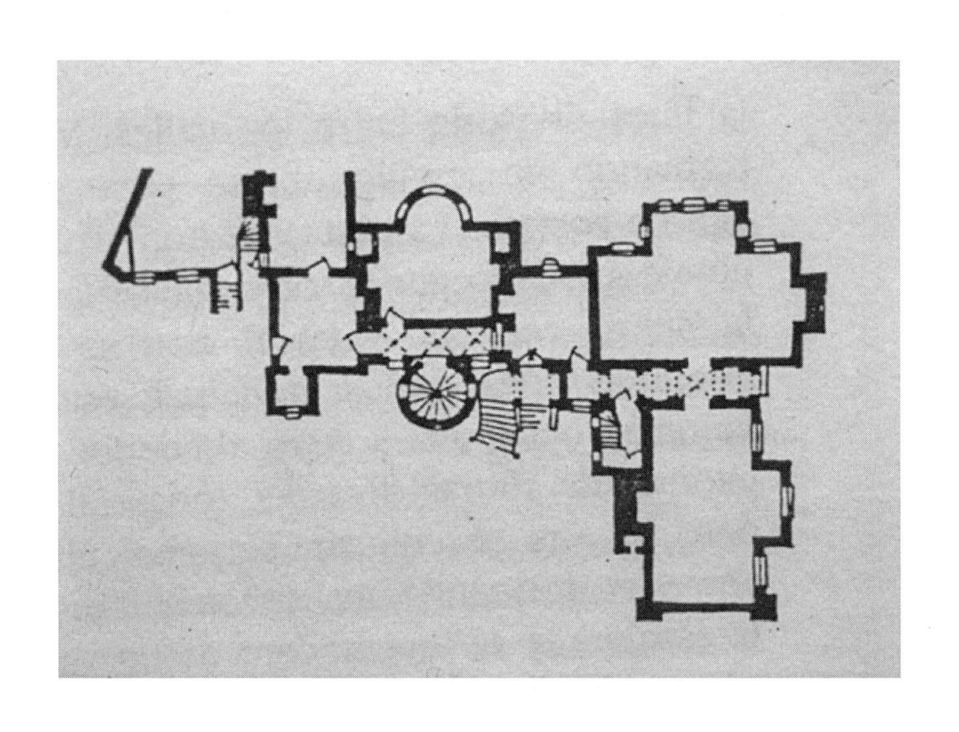

John Vanbrugh. *Casa de campo del arquitecto.* 1717-1720

consideró una figura fundamental en la evolución de la arquitectura doméstica inglesa.[16]

Nash fue iniciado por Uvedale Price en la teoría del gusto pintoresco. En el año 1795, conoció a Richard Payne Knight, interesándose por la residencia Downton Castle, que éste había comenzado a construir para su disfrute en el año 1774 y terminado aproximadamente cuatro años después.

Según Knight, Downton *tiene la ventaja de ser susceptible de alteraciones y adiciones en casi todas las direcciones, sin prejuicio de su índole genuina y original*. Pero Knight, a continuación, introdujo un factor de arbitrariedad escribiendo lo siguiente: *el mejor estilo que ahora se puede adoptar para casas irregulares y pintorescas es el estilo mezclado que caracteriza los edificios de Claude y Poussin: pues como se ha inspirado en modelos que se han ido construyendo gradualmente... admite todo promiscuamente, desde una pared desnuda a un contrafuerte, desde la más tosca mampostería al más elaborado capitel corintio...* La ornamentación griega del interior de Downton, de hecho, contrastaba con su medieval y *acastillado* aspecto exterior, lo cual señala a Knight como uno de los fundadores del eclecticismo.

Downton Castle, por otro lado, tenía rasgos comunes con Strawberry Hill, una residencia campestre que Horace Walpole (ayudado por William Robinson) comenzó a construir para sí mismo en el año 1748. La residencia de Walpole, al igual que Castle Vanbrugh y Downton, ampliaba un pequeño *cottage* que ya existía en el lugar. El conjunto inicial fue creciendo libremente mediante la adición de nuevos elementos, entre los que destacaba la torre cilíndrica, comenzada en el año 1759, y de la cual se puede encontrar un eco en la torre de Downton.

Según Summerson, la deliberada irregularidad de la parte oeste de Strawberry Hill fue su más importante innovación. Pero esta innovación no estaba condicionada tanto por consideraciones o sentimientos propiamente arquitectónicos, como por el diletantismo de su propietario y su gusto por la cultura medieval. Summerson no pensaba que la irregularidad de Strawberry Hill se debiera a un estudio serio sobre la composición asimétrica. Según el historiador, Walpole sólo recurrió a la irregularidad con el fin de imitar los efectos fortuitos que encontraba en la arquitectura medieval.[17]

Horace Walpole. *Remodelación de Strawberry* Hill. 1748-1777.

Detalle de *Paisaje cerca de Roma con una vista del Ponte Molle.*

Claude Lorrain. 1645. (Fig. 2)

John Nash. *Vista de Cronkhill*. 1802.

En el año 1798, Nash se asoció con el jardinero paisajista Humphry Repton, de su misma edad, con el que trabajó hasta el año 1802. Comenzó a considerar la importancia del estilo que representaban Downton y Strawerry Hill, cuando Repton le hizo ver que los rasgos que caracterizaban dicho estilo (particularmente la irregularidad y la torre circular situada en una esquina) se encontraban en los edificios pintados en los cuadros de Claude Lorrain y Nicolas Poussin.

Así que Nash, quizás tomando como ejemplo aquellos edificios pintados, inventó un nuevo tipo de residencia irregular con una torre cilíndrica en un extremo. A este tipo responden Luscombe Castle, construida en 1800, Cronkhill, de 1802 y Kilwaughter Castle, de 1807.

Nash, sin embargo, no se conformó con la disposición libre y aditiva de las piezas, sino que intentó conciliarla con la axialidad clasicista. Esta fusión entre axialidad y libre disposición aditiva respondía al reto de reunir en una sola edificación los modos tradicionales de construir residencias: el modo clasicista, muy arraigado en Inglaterra debido a la influencia de Palladio, y el irregular modo vernáculo, ahora considerado pintoresco.

Las residencias campestres de Nash, en general, respondían al modo libre y pintoresco pero, mientras unas (como Cronkhill y Kilwaughter) respondían al modelo libre y aditivo, otras (como Luscombe y Knepp Castle), ordenaban sus piezas en relación a un sistema de ejes: un eje de acceso principal y otro, perpendicular, que relacionaba las zonas de servicio y la familia.

Nash, al igual que Vanbrugh y William Kent, no encontró ninguna contradicción en usar alternativamente los modos clasicista y pintoresco de componer. Tampoco en combinarlos. Un repaso a su obra permite constatar que no consideraba estos modos excluyentes sino complementarios. Sólo pretendía usarlos bien, y en ocasiones integrarlos, al margen de consideraciones ideológicas; algo que, al parecer, no le perdonaron sus contemporáneos.

En la segunda mitad del siglo XIX, la irregularidad de la arquitectura tradicional fue utilizada ideológicamente con el fin justificar la supremacía de lo inglés frente a lo continental. Los ingleses se adjudicaron la libertad y dejaron para el continente el formalismo y la autoridad.

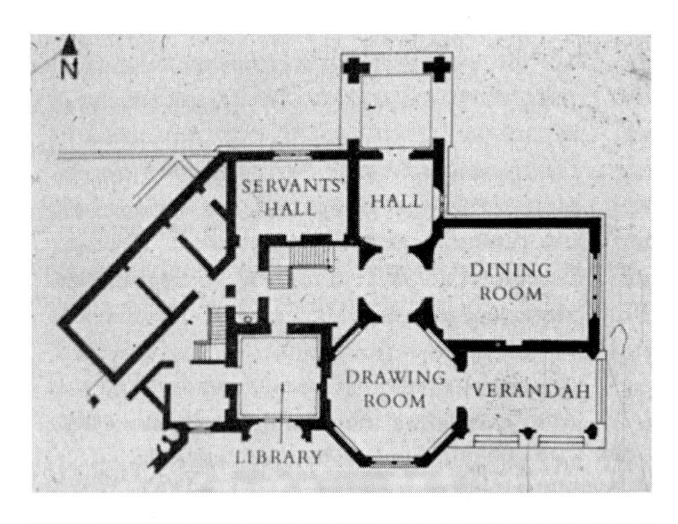


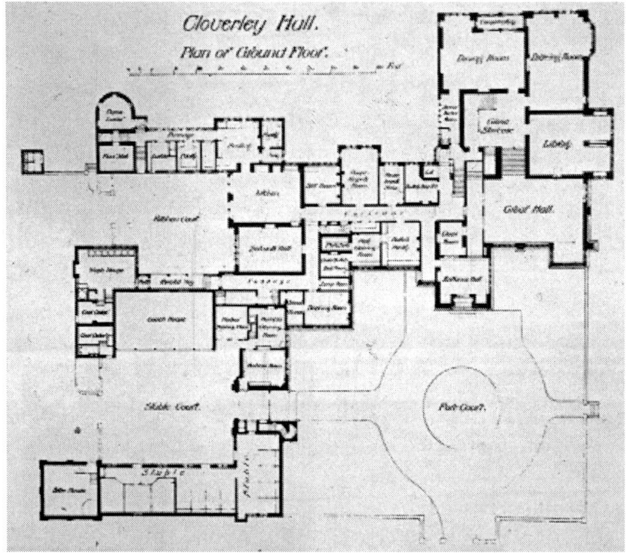


John Nash. *Luscombe*. 1800.

Eden Nesfield. *Cloverley Hall.* 1865.

Desde esta parcial posición, las antiguas e irregulares casas de campo, que hasta entonces sólo se consideraban pintorescas, pasaron a representar la honestidad y libertad que caracterizaba la vida en el campo. La irregularidad, desde ese momento, se enfrentó con ventaja a la regularidad clasicista.

Finalmente, ya en el siglo XX, la irregularidad pasó a representar confort, así como el tipo de funcionalidad que se asociaba con los seres vivos y todo lo *orgánico*: según Nikolaus Pevsner, por ejemplo, Philip Webb consiguió que el aspecto exterior de la *Casa Roja* respondiera a las exigencias internas, *sin pretender una grandiosa e inútil simetría.*[18]

Las razones por las cuales la antigua arquitectura inglesa fue paradójicamente considerada moderna y funcional son aproximadamente las siguientes.

Para los medievalistas del siglo XIX, defensores de las formas góticas y el gusto por lo pintoresco, el clasicismo era un estilo agotado; un estilo *antieconómico*, *público*, *ostentoso* y *poco confortable* que debía ser sustituido por otro estilo que fuera auténticamente inglés y, por consiguiente, *económico*, *discreto* y *confortable*.

La pintoresca irregularidad de las casas medievales se convirtió así en una suerte de principio ideológico que se podía utilizar contra las *frías, regulares y extranjeras* villas clasicistas. Las *plantas modelo* proyectadas por Kemp y Waterhouse, por ejemplo, proyectadas en el año1859 y presentadas por Robert Kerr en su libro *The Gentleman's House*, eran completamente irregulares.[19] Otras residencias, como Cloverley Hall, construida por Eden Nesfield en el año 1865, podían crecer como una *planta trepadora*.

Algunos arquitectos, dejándose llevar por el componente ideológico y moralista de la reacción anticlásica, idealizaron la arquitectura medieval e interpretaron libremente las intenciones de sus constructores. Según Voysey, por ejemplo, *pronto se comprendió que el Gótico era un sistema general que no dependía de la imitación de los tradicionales detalles góticos. Era un sistema de diseño que iba desde el interior hacia el exterior, en contraste con el clásico que lo hacía desde el exterior hacia el interior. En otras palabras, el arquitecto gótico tenía en cuenta las necesidades de espacio, el programa de necesidades, el aspecto exterior y las vistas hacia el paisaje* (aspect and prospect) *para definir los alzados, mientras el clásico pensaba primero en la fachada. La simetría y el equilibrio eran leyes tiránicas para él...* [20]

Al aceptar la relación entre medievalismo y modernidad, algunos arquitectos pudieron sentirse libres y originales sin tener en cuenta el complejo orden de los rituales que condicionaban la irregularidad de la arquitectura doméstica medieval. La irregularidad significaba modernidad.

Pero los arquitectos sin prejuicios ideológicos se encontraron con que podían disponer de tres modelos diferentes para proyectar sus residencias. Éstos eran los dos modelos medievales, el *real*, irregular y organizado en torno al antiguo hall de origen sajón, y el *idealizado*, simplemente irregular, a los cuales se sumaba el modelo clasicista, pues para estos arquitectos dicho modelo, implantado en Inglaterra desde hacía casi dos siglos, era tan inglés como el medieval.

Es cierto que el cliente podía imponer un modelo de acuerdo a su gusto personal, pero en muchas ocasiones los arquitectos sin prejuicios dispusieron de suficiente libertad para intentar conciliar en un solo proyecto los distintos modelos que les ofrecía la tradición. Este fue el caso de Norman Shaw y Edwin Lutyens, entre otros.

La actitud de estos arquitectos, sin embargo, no fue comprendida por los ideólogos de la arquitectura libre y funcional, como Muthesius, quien pasó serios apuros para justificar el hecho de que algunos de ellos, calificados por él mismo como *pioneros de la arquitectura moderna*, aceptaran unas veces el *hall* medieval y otras el *frío abrazo del clasicismo*. Muthesius nunca pudo entender que su admirado Norman Shaw se esforzase tanto en reunir, como si se tratara de un juego, las distintas formas y modelos que le proporcionaba la tradición. Pues los edificios que resultaron de aquellos *encuentros* no eran ni clasicistas ni medievales, sino una suerte de montajes difíciles de clasificar.

Lo curioso de esta historia es que algo muy parecido había ocurrido antes en Inglaterra, cuando el tipo medieval entró en colisión con el orden, la simetría y la monumentalidad de las formas clasicistas que llegaban del continente. La consecuencia de aquel choque fue también la aparición de complejos edificios en los cuales se conjugaban partes ordenadas con partes libremente compuestas. Pero la situación era distinta: mientras las formas irregulares representaban en el XVI la antigüedad, en el XIX representaban la modernidad. Y viceversa: mientras la regularidad representaba en el XVI la modernidad, en el XIX representaba la antigüedad.

Las residencias del siglo XVIII que lograron conjugar la axialidad con la disposición libre y aditiva de las piezas, además, anticiparon soluciones posteriores. La casa Glasner, por ejemplo, proyectada por Frank Lloyd Wright en 1905, presenta una composición axial y libre a la vez, que recuerda poderosamente la distribución de Walpole en Strawberry Hill y de Nash en Kilwaughter Castle.

Wright tampoco tuvo prejuicios a la hora de usar alternativamente y conciliar los modos heredados de la arquitectura doméstica inglesa. Así, unas veces compuso residencias completamente simétricas, como la casa Waller, otras veces irregulares y otras, por último, con partes irregulares y partes simétricas.

En la casa Baldwin, por ejemplo, la simetría de la fachada principal no afectaba a la parte posterior, la cual se organizaba libre y aditivamente de acuerdo con el gusto pintoresco. Pero este experimento formal tampoco era nuevo: la residencia proyectada por Edwin Lutyens, Tigbourne Court, construida seis años antes en Inglaterra, anticipaba la solución.

## Desde el *pintoresco griego* a Le Corbusier

También Friedrich Schinkel, después de realizar un viaje por Inglaterra, proyectó algunas residencias de acuerdo con el gusto pintoresco. Pero la arquitectura monumental, hasta bien entrado el siglo XIX, debía responder a los principios clásicos de orden.

A partir de la segunda mitad del siglo surgieron algunas dudas sobre la regularidad de los edificios construidos en la antigüedad. No eran dudas nuevas. Mucho antes, en el Renacimiento, algunos arquitectos se habían desilusionado al descubrir que la mayor parte de las villas romanas carecían de simetría axial y orden inteligible.[21]

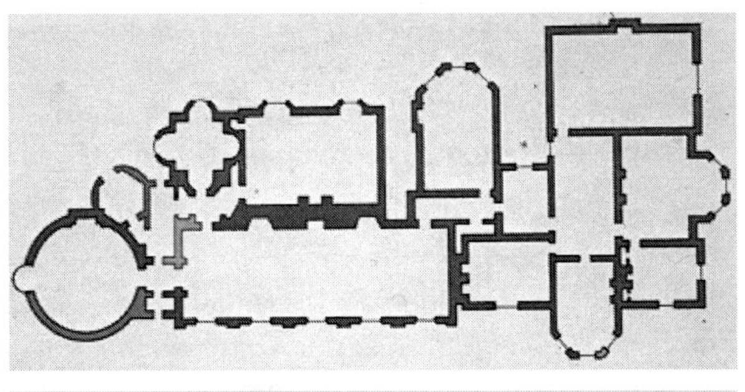

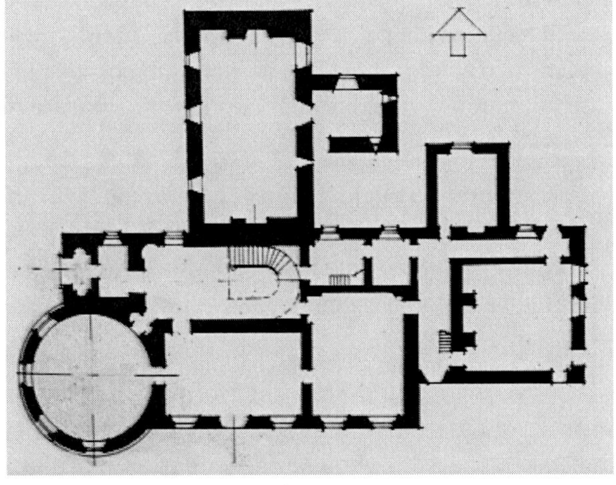

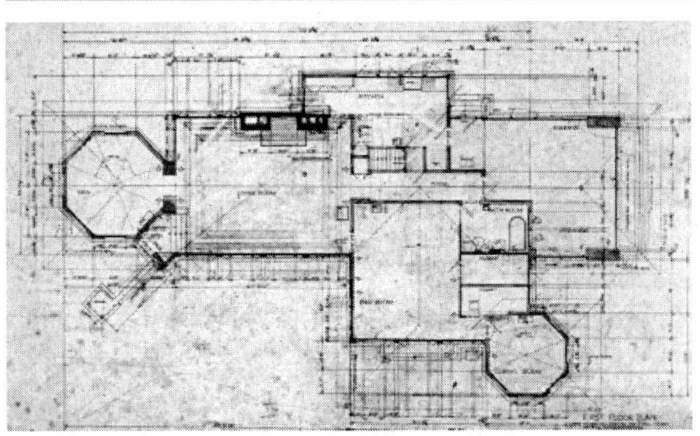

Horace Walpole y otros. Strawberry Hill.1747-1777.

John Nash. Kilwaughter Castle. 1807

Frank Lloyd Wright. Casa Glasner. 1905

Las dudas aumentaron a raíz de los levantamientos y *restituciones* que los franceses realizaron en la Acrópolis de Atenas. Jacques Lucan, en un ensayo titulado *Simetría y Disimetría*, analizó el problema de la Acrópolis de Atenas, relacionándolo con el gusto por lo pintoresco.[22]

Las primeras reconstrucciones de la Acrópolis presentaban los Propileos como un conjunto monumental y simétrico, semejante a los santuarios helenísticos y romanos. En los trabajos de Le Roy, por ejemplo, publicados en 1758, y en los de Durand, publicados en 1800, los Propileos aparecían dibujados como un conjunto simétrico con una monumental escalinata flanqueada por dos pedestales iguales y paralelos. La mayor anchura del intercolumnio central, así como el escalonamiento piramidal de los cinco vanos, parecía implicar la simetría del conjunto.

En el año 1848, el *envío* de Porsper Desbuisson mantenía la escalera monumental en el eje de acceso, pero incorporaba a la derecha, rompiendo la simetría, el pequeño templo de la Victoria Aptera. Desbuisson, no obstante, pensaba que los Propileos eran asimétricos porque no se habían terminado de construir. Por eso, al final, dibujó la parte derecha igual que la izquierda.

Los *envíos* de Louis-Francois Boitte, realizados en el año 1864, insistieron en la monumentalidad y la simetría del conjunto, en este caso reforzado por los dos cubos simétricos de la muralla inferior. Pero Boitte, a diferencia de Desbuisson, no reconstruyó el ala derecha igual que la izquierda, sino que la dejó inacabada.

Por último Lambert, en el año 1877, puso el acento en la senda procesional que debían recorrer los oficiantes para aproximarse a la Acrópolis. La escalinata frontal desapareció y en su lugar apareció una senda sinuosa que debía conducir a la Acrópolis.

Lambert, al parecer, entendió que los griegos concibieron los Peopileos como un conjunto asimétrico, ordenado mediante el equilibrio perceptivo de las masas dispuestas a los lados del eje. En su *restitución*, la simetría desapareció, quedando reemplazada por un pintoresco equilibrio asimétrico.

La asimetría de los Propileos y el desorden aparente de los templos de la Acrópolis dio lugar a comentarios muy diversos. Penrose, por ejemplo,

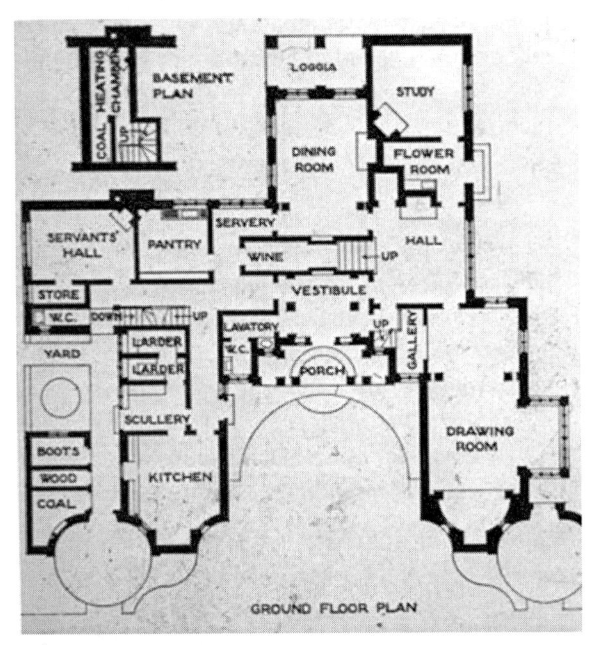


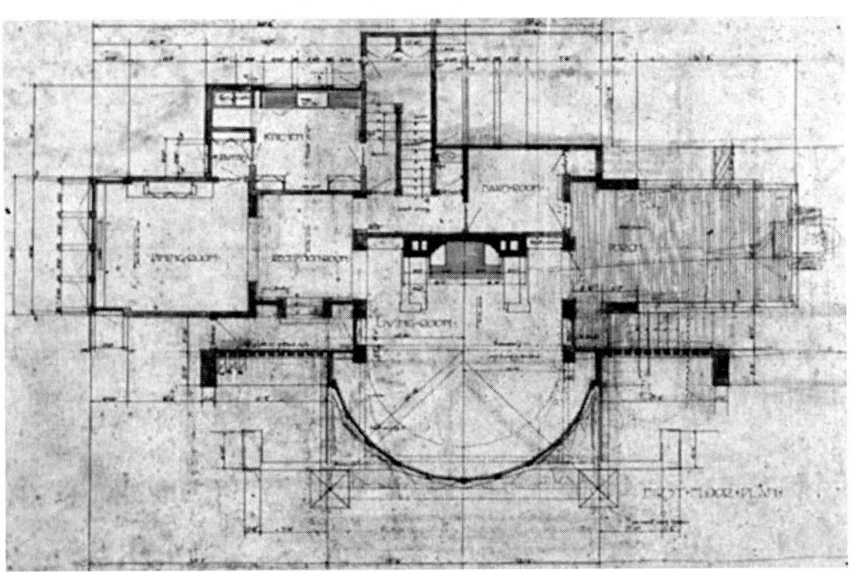

Edwin Lutyens. Tigbourne Court. 1899. Frank Lloyd Wright. Casa Baldwin. 1905.

que coincidía con Desbuisson en que el ala derecha era distinta al ala izquierda porque nunca fue terminada, pensaba que cada elemento del conjunto se presentaba ante el espectador con el fin de ser apreciado desde un punto de vista angular. Para Penrose, la falta de simetría exacta de la Acrópolis producía un efecto de gran belleza y exquisita variedad de luces y sombras.

Pierre Lavedan, por el contrario, pensaba que la Acrópolis de Atenas era una *acumulación confusa de altares, templos y estatuas*. Pero al margen de las opiniones particulares, la irregularidad de la Acrópolis comenzó a ser explicada en relación al gusto por lo pintoresco. Incluso la irregularidad del Erecteión fue considerada pintoresca. Viollet-le-Duc, por ejemplo, además de considerar la irregularidad del Erecteión como un valor positivo, explicó que dicha irregularidad permite comparar la forma del pequeño templo con la arquitectura doméstica medieval.

Refiriéndose al Erecteión, escribió: *no se puede encontrar en la arquitectura gótica, que pasa por ser poco obediente con las leyes de la simetría, un momento de apariencia más caprichosa o, para servirme de una expresión moderna, de apariencia más pintoresca*. Dejando de lado el capricho por considerarlo superficial, pensaba que la forma irregular del Erecteión era la consecuencia de la búsqueda del equilibrio ponderado entre los elementos del conjunto. Dicha búsqueda, según Viollet-le-Duc, era el *arte de hacer admitir la perfección o acabado de una obra sin recurrir a la simetría.*[23]

Entre los años 1865 y 1895, Auguste Choisy, apoyándose en las impresiones de Penrose, desarrolló una teoría que explicaba la disposición irregular de los templos en la Acrópolis. Su teoría, como la de Penrose, se fundamentaba en las vistas angulares y los efectos plásticos sucesivos que se ofrecen al espectador según se aproxima a la Acrópolis, atraviesa sus Propileos y la recorre apreciando los templos.[24]

Choisy, es verdad, empleó la palabra *symetrie* para referirse a la Acrópolis, pero con ella no se refería a la simetría bilateral, sino al equilibrio perceptivo de las masas dispuestas a los dos lados de un eje.[25] En la Acrópolis de Atenas, escribió, *cada motivo arquitectónico tomado parcialmente es simétrico, pero cada grupo es tratado como un paisaje donde las masas se equilibran*. Este efecto, que denominó *pittoresque grec*,

Prosper Desbuisson. Estado actual de los Propileos. 1848.

influyó decisivamente en la formación de Le Corbusier. En particular, en su idea de *promenade architectural.*

Le Corbusier, de acuerdo con la teoría de August Choisy, vio en la Acrópolis de Atenas una síntesis entre el orden y la libertad, entre el orden fundamentado en la medida, representado por el Partenón, y el orden fundamentado en el equilibrio y el contraste, representado por el Erecteión y por la disposición libre de los templos en la Acrópolis.

Al Partenón, a la *máquina terrible que tritura y domina*, imponiendo brutalmente su ley, le respondía el Erecteión, el *alegre templo de las cuatro caras*. El Erecteión adaptaba sus caras a las condiciones del lugar, pero la clave, para Le Corbusier, era el *plan*, es decir, la organización de los volúmenes sobre el plano.

La arquitectura, según Le Corbusier, debía desarrollarse siguiendo la regla que está escrita en la base del plan. Sin el plan se produce esa sensación de informalidad, de indigencia, de desorden, de arbitrariedad que es insoportable al hombre. *Formas bellas, variedad de las formas, unidad de principio geométrico: la unidad de la ley es la ley del buen plan; ley sencilla, infinitamente modulable*, escribió en 1923.[26]

El plan necesita de la imaginación más activa, pero también de la disciplina más severa. El plan lleva en sí mismo un ritmo primario determinado. El ritmo, puntualizó, es un estado de equilibrio que procede de las simetrías simples o complejas, o de las sabias compensaciones.

El ritmo es la ecuación que da lugar a un estado de equilibrio, bien mediante igualación, por simetría axial o repetición, como en los templos egipcios e hindúes, bien mediante modulación, por desarrollo de una invención plástica inicial, como en Santa Sofía, o bien mediante compensación, por movimiento de contrarios, como en la Acrópolis de Atenas. El desorden aparente de la Acrópolis de Atenas, según Le Corbusier, sólo engaña al profano.

*La arquitectura se establece sobre ejes*, escribió. Pero los ejes que le interesaban no eran los que se enseñaban en las Academias, una *aridez teórica y una calamidad para la arquitectura*, según sus palabras, sino el eje de Acrópolis de Atenas: *y porque se hallan fuera de ese eje violento, el Partenón a la derecha y el Erecteión a la izquierda, pueden apreciarse... en su fisonomía total*. Esto ocurre porque, *el ojo humano, en sus indagaciones, gira siempre... se aferra a todo y se siente atraído por el centro de gravedad del lugar entero.*

La ley concede legitimidad a la composición, pero esta legitimidad afecta tanto a las composiciones simétricas como a las gobernadas por complejos juegos de equilibrio y contraste. Prueba de ello son los cambios que sufrieron muchos de sus proyectos, condicionados por las dudas entre la simetría y la libre composición pintoresca.

Le Corbusier comenzó proyectando residencias simétricas de acuerdo con la tradición de las escuelas de Bellas Artes. Pronto, sin embargo, comenzó a dudar entre simetría y libre disposición, llegando incluso a integrar ambos modos de componer en algunas residencias. Estos conflictos y dudas también se aprecian en los proyectos que utilizó como modelos para definir *sus cuatro composiciones*, aunque no se reflejaron en sus esquemas.

La *primera composición*, por ejemplo, correspondiente a las casas La Roche-Albert Jeanneret que calificó como *pintoresca*, evolucionó desde unos croquis iniciales, aproximadamente simétricos, que recuerdan vagamente la planta de los Propileos levantada por Desbuisson. La *segunda*, que debía generarse a partir de un volumen simple y regular (el de la casa Stein en Garches), se inició con un volumen irregular que después evolucionó hacia la regularidad. La *tercera* superpone la irregularidad de los cerramientos al orden de la estructura. Y la *cuarta*, correspondiente a la Villa Savoye, oculta mediante la irregularidad la importancia del eje en la composición.

Las evoluciones de los proyectos para la Villa Savoye y la casa La Roche-Albert Jeanneret muestran las dudas de Le Corbusier.

La primera propuesta que realizó para la Villa Savoye, muy parecida a la finalmente construida, presentaba la puerta de acceso y la rampa en el eje de la composición. Después de varios tanteos, los propietarios exigieron una propuesta más económica, por lo cual Le Corbusier realizó varias propuestas alternativas; entre ellas, una prácticamente simétrica que posteriormente abandonó. Ésta fue la cuarta versión, realizada entre el 7 y el 27 de noviembre del año 1928.

El que Le Corbusier contemplara la posibilidad de construir una Villa Savoye completamente simétrica, indica que consideraba la simetría tan válida, al menos, como el juego libre y pintoresco de los volúmenes.

El problema es que Le Corbusier, movido por su afán divulgador, sólo consideró en sus esquemas un aspecto parcial de las residencias, de manera que cuando definió su segunda composición como una *funda rígida*, olvidó que el volumen inicial era irregular, y cuando definió su *primera composición* como *libre*, *pintoresca* y *fácil de ejecutar*, en tanto permite que *cada órgano surja al lado de su vecino según una razón orgánica*, olvidó que los primeros croquis para dicho proyecto eran prácticamente simétricos.

La casa La Roche-Albert Jeanneret no fue concebida como conjunto pintoresco, sino axial. Las circunstancias alteraron la configuración inicial del proyecto, pero la simetría permaneció, ordenando parcialmente la composición, como en la casa-castillo de Vanbrugh.

En su libro *Precisiones sobre el estado actual de la arquitectura y el urbanismo*, publicado en el año 1930, definió esta composición como "piramidal": *el primer tipo muestra cada órgano surgiendo al lado de su vecino, según una razón orgánica. El interior se acomoda y empuja al exterior, que se configura con salientes diversos. Este principio conduce a una composición piramidal que puede convertirse en atormentada si no se tiene cuidado.*

La palabra *piramidal* no resulta muy clara en este contexto, pero su sentido puede aclararse considerando que fue aplicada por Choisy al Erecteión y que Le Corbusier vio en este edificio el paradigma de la forma libre y pintoresca. (La palabra *piramidal*, quizás, sólo indica que la casa La Roche-A. Jeanneret fue proyectada, como el Erecteión, desde el suelo hacia arriba).

Las dudas de Le Corbusier entre las opciones simétricas y las pintorescas también afectaron a sus proyectos para edificios públicos. El ejemplo más claro, quizás, lo representan las ocho variantes de la planta que realizó en el año 1931 para el concurso del Palacio de los Soviets: cuatro pintorescas, cuyos elementos se ajustaban a la curva del río, y cuatro prácticamente simétricas, menos dependientes de las condiciones del lugar, lo cual muestra que consideraba igualmente válidas las dos maneras de componer

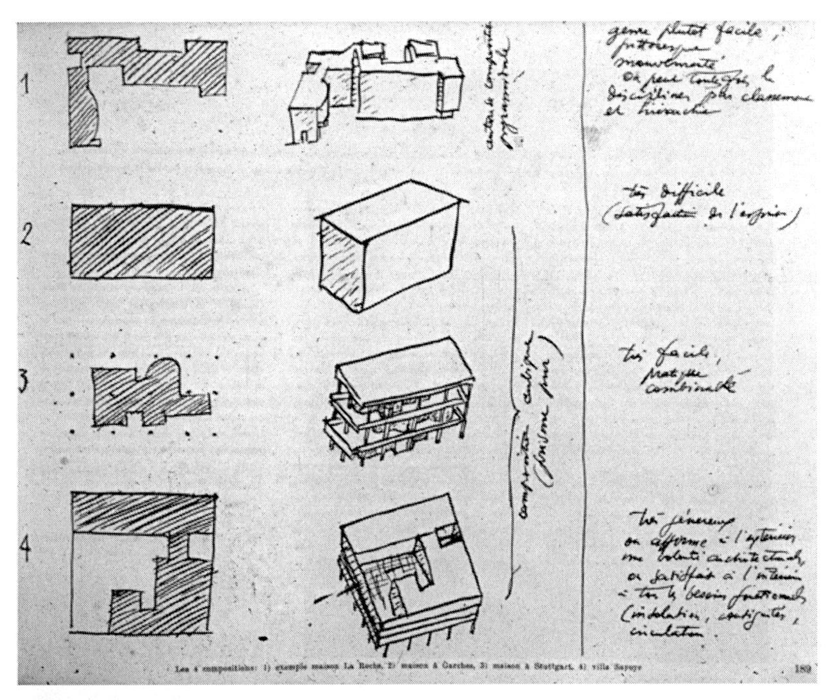


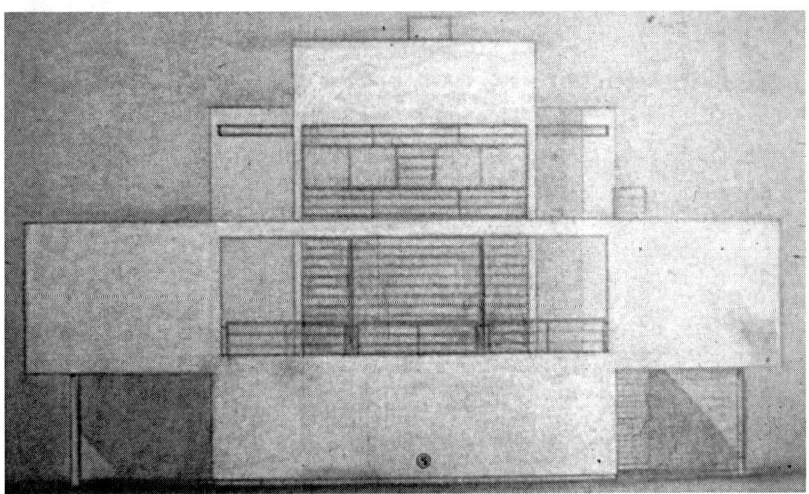

Le Corbusier. Las cuatro composiciones. 1929.

Le Corbusier. Cuarta versión para la Villa Savoye. 1928

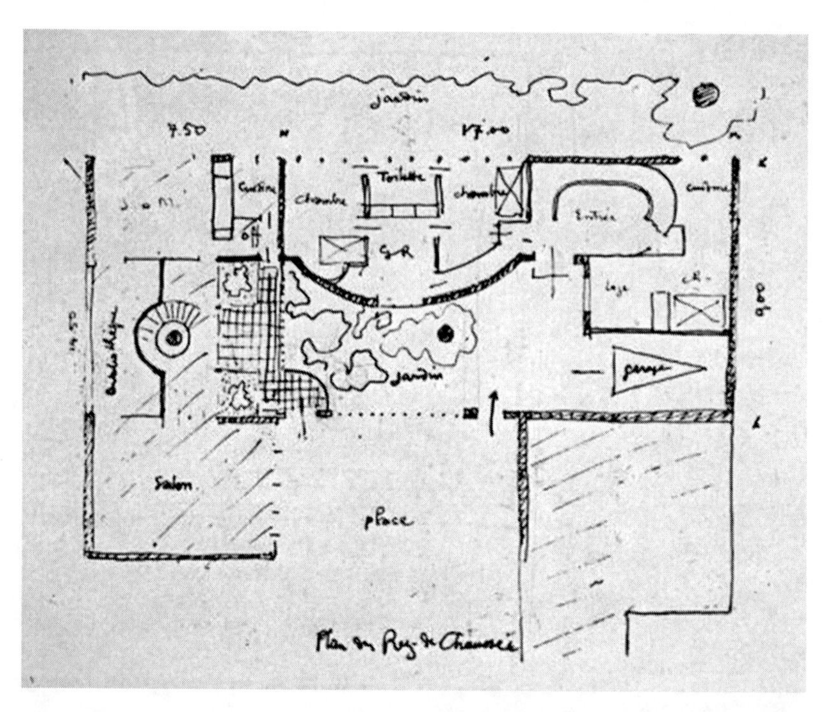

Le Corbusier. Croquis para las casas La Roche y Albert Jeanneret. 1923

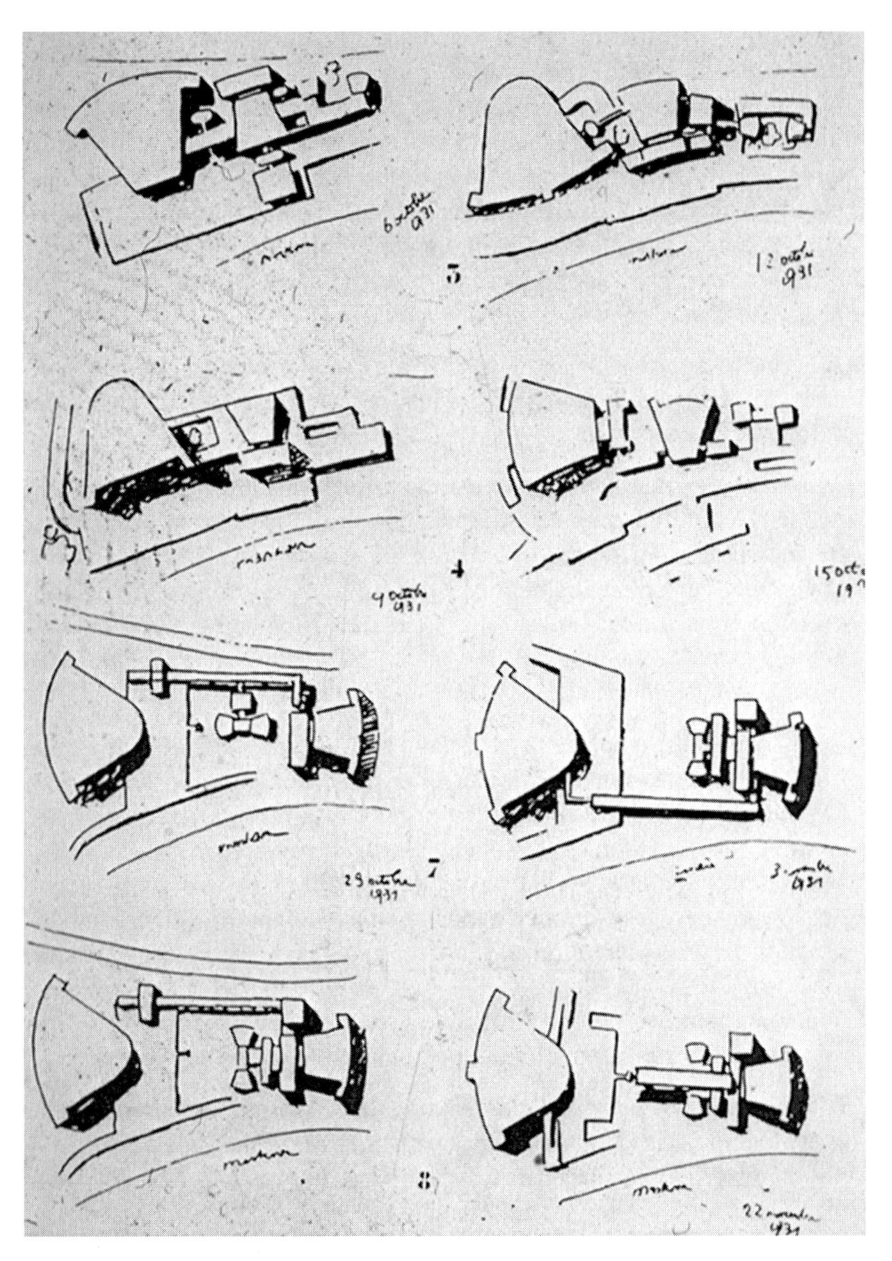

Le Corbusier. Ocho alternativas para el Palacio de los Soviets de Moscú (1931).
Cuatro pintorescas, arriba, y cuatro axiales, abajo.

Pensaba, sin embargo, que el instinto del hombre no es suficiente para lograr la armonía deseada. Según Le Corbusier, el hombre actual proclama que es un poeta liberado y que le bastan sus instintos, aunque éstos no se expresan más que por medio de artificios adquiridos en las escuelas. El hombre de los primeros años 20, según Le Corbusier, actuaba como un lírico desenfrenado que sabe algunas cosas pero que no las ha inventado, habiendo perdido durante el curso de las enseñanzas recibidas esa cándida y capital energía del niño que se pregunta el *por qué* de las cosas.

Aunque se refería a las *artes decorativas* y aludía a los artistas que se consideraban *poetas* al ponerlas en práctica, su crítica al instinto podría extenderse al actual formalismo de la irregularidad.

Lo único que Le Corbusier excluyó de la composición, como antes hicieron los defensores del gusto pintoresco y los primeros románticos, fue el capricho. Pero aquel *lírico desenfrenado* al que se refería, estaba imaginando una nueva relación entre arquitectura y naturaleza. Dicha relación no se fundaba ni en ejes ni en equilibrios perceptivos, sino en analogías metafóricas capaces de trasladar el sentido desde las formas orgánicas a las formas edificadas.

No es necesario recordar la importancia y las consecuencias de la analogía biológica en arquitectura. La obra de Adolf Behne, *La construcción funcional moderna*, en los años 20, y la de Peter Collins, *Los ideales de la arquitectura moderna*, en los 60, lo hicieron en su momento.[27] Josep María Montaner, recientemente, insistió en ellas.[28] Es suficiente recordar que la analogía biológica, fundada en la ilusionante posibilidad de producir edificios tan naturales como órganos o seres vivos, tan naturales que crecieran desde dentro hacia fuera, sin restricciones formales y supuestamente atendiendo a los usos, dio lugar a extrañas formas, generalmente curvadas, que se denominaron *funcionales*.

Algunos arquitectos, condicionados por la interpretación lamarkiana de la evolución natural expresada por el axioma *la forma sigue a la función*, pensaron que tenían argumentos científicos para oponerse al formalismo clasicista. Pero los científicos que estudiaban la evolución natural hablaban de mutaciones, de cambios formales azarosos que se producían en los seres vivos al margen de las actividades que realizaban. La relación entre la arquitectura y la naturaleza, por tanto, sólo podía ser metafórica.

Si la metáfora racionalista expresaba que *la arquitectura es como un juego* (sujeto a unas reglas que son las del cosmos), la metáfora orgánica expresaba que *la arquitectura es* (o debería ser) *como un organismo vivo*, aunque idealizado, pues había que desechar de los seres vivos la regularidad.

La arquitectura debía crecer de dentro hacia a fuera sin restricciones, algo que se habían planteado los defensores del gusto pintoresco, pero la analogía orgánica requería la curva. El espacio rectangular, la línea recta, explicaba Adolf Behne, no son figuras funcionales, sino mecánicas. Si procedemos consecuentemente a partir de la función biológica, la pieza rectangular resulta absurda, porque sus cuatro ángulos son espacio muerto, inutilizable. Si circunscribo el espacio de una habitación realmente aprovechado, el que llega a ser pisado, continuaba Behne, obtengo necesariamente una curva. Hugo Häring y Hans Scharoun, estaban de acuerdo, aunque Häring puso el acento en las curvas y Scharoun en las líneas quebradas. Pronto, sin embargo, volvieron a la ortogonalidad, pues la construcción de bloques de viviendas así lo requería.

Está de más explicar que los edificios no son seres vivos y mucho menos inteligentes. La primera condición de un ser vivo es que se reproduzca. La distancia, por tanto, es insalvable. Es posible comparar las circulaciones en los edificios con la circulación de la sangre, pero una interpretación estricta de esta metáfora conduce a dimensionar la anchura de los pasillos en función del número de personas que circulan por ellos.

Lo decisivo fue el afecto por la curva y la quebrada. La asociación de las formas arquitectónicas con ciertas formas naturales (generalmente blandas pero en ocasiones duras y angulosas), permitió la utilización ideológica de las configuraciones libres, consideradas funcionales, contra los defensores del orden formal académico. Y aquí también lucharon los dioses entre sí: Apolo contra Dionisos, aunque transfigurados, pues el arrebato dionisíaco no tiende a la libre individualidad, sino que funde al individuo con los demás, haciéndole perder la conciencia de sí.

El afecto por la curva y la quebrada permitió asociar la funcionalidad con la libertad, y ocultar que si la forma estuviera determinada por los usos quedaría poco margen de maniobra al arquitecto.

El reproche que dirigió Mies a su compañero de estudio Hugo Häring, representa muy bien esta contradicción. *Pero hombre*, le dijo, *¡haz los espacios lo suficientemente grandes como para que uno pueda moverse libremente por ellos y no sólo en una dirección predeterminada! ¿O es que estás completamente seguro de cómo se usarán? No sabemos en absoluto si la gente hará con ellos lo que nosotros pensamos. Las funciones no son tan claras ni tan constantes. Cambian más deprisa que el edificio.* (De Franz Schulze. Biografía de Mies van der Rohe).

No obstante, los arquitectos funcionalistas insistieron en que el funcionalismo es sinónimo de necesidad. *Estoy seguro que si conseguimos alguna vez un programa correcto para la actividad de los arquitectos funcionalistas será mejor no preocuparse por el arte*, escribió Rietveld, convertido al funcionalismo. La forma arquitectónica, para Duiker, debía nacer con el mismo sincronismo causa-efecto que se observa en la naturaleza.

Pero las formas del arte se impusieron. Después de la Segunda Guerra Mundial, aparecieron en arquitectura configuraciones irregulares y pautadas que recordaban los trazos del *arte informal*. Eran estructuras irregulares, semejantes a texturas, que admitían singularidades y deformaciones sin que cambiaran de carácter. Por eso se denominaron topológicas, aunque fueran ajenas a la rama de la matemática denominada topología. En lo que sigue se verá que, al margen de la confusión que introdujo en la arquitectura la analogía topológica, la irregularidad se continuó recreando en el arte.

Hermann Finsterlin.
*Casa de vidrio*. 1924.

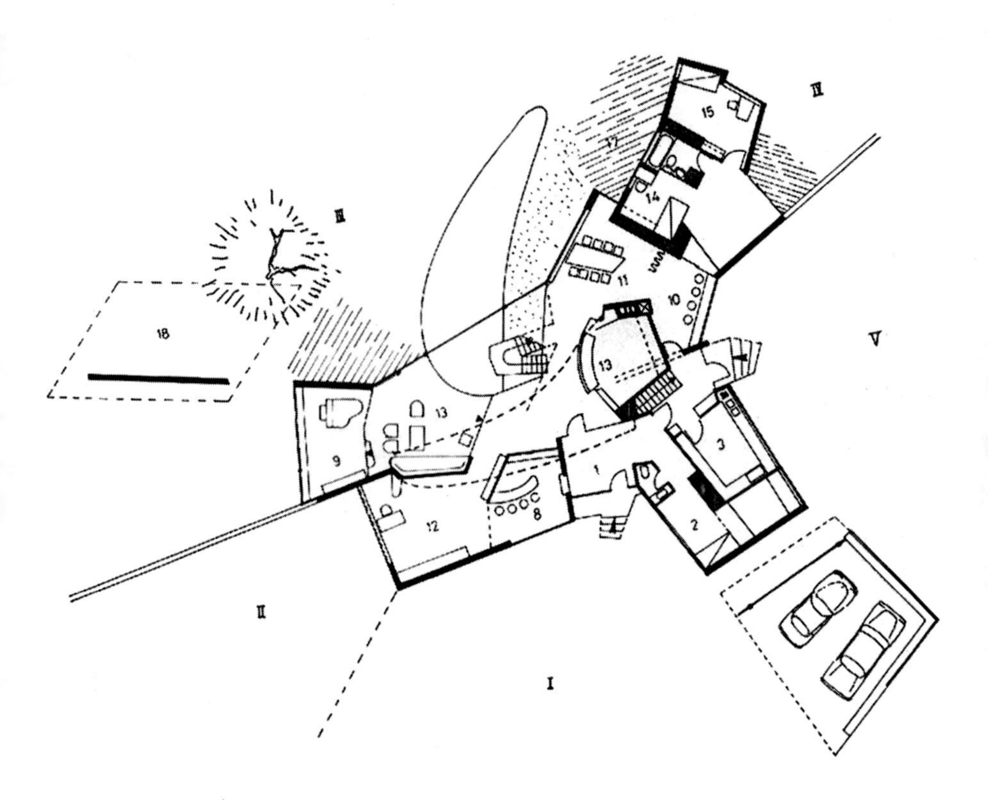


Chen Kuen Lee, colaborador de Hans Scharoun. *Proyecto para una casa en Sttutgart*. 1956.

## NOTAS

[1] Uno de los últimos intentos por aclarar la relación entre belleza sensible y regularidad fue realizado por Worringer, en el año 1908, en su obra *Abstracción y empatía*. Allí escribió que el hombre, al contemplar y participar de la ley abstracta que se manifiesta en el arte, encuentra goce y satisfacción. Este goce era aquella *satisfacción del espíritu* que Le Corbusier encontraba en la regularidad y la que Tomás de Aquino explicó, siglos antes, con las siguientes palabras: *los sentidos se complacen en las cosas debidamente proporcionadas así como en lo que se les parece: puesto que el sentido también es una forma de razón, al igual que todo poder cognoscitivo. (Sensus delectantur in rebus debite proportionatis sicut sibi similibus: nam et sensus ratio quaedam est, et omnis virtus cognoscitas).* Worringer también escribió que Wölfflin mostró muy fina sensibilidad al mencionar que *la regularidad ya constituye una especie de transición al campo de la empatía.* Remitiéndose a Lipps, añadió: *nosotros estamos de acuerdo con Lipps en que los productos de la regularidad geométrica son objetos de deleite porque aprehenderlos como un todo es natural al alma y porque corresponden en alta medida a algún rasgo de nuestra naturaleza o de la esencia de nuestra alma.*

[2] El caso de Hegel es particularmente significativo, pues pensaba que los románticos se aferraron a la idea de genio creador con el fin de justificar un improductivo culto al sujeto singular. Aunque reconocía que hay una parte de verdad en que la obra es una creación del genio, de la inspiración inconsciente y del talento innato, citó irónicamente los buenos servicios que presta al genio una botella de champaña.
Véase G. W. F. Hegel: *Introducción a la estética*. Ed. Penínula. Barcelona. 2001.

[3] John Locke: *Ensayo sobre el entendimiento humano*. Ed Aguilar. 1977. Pág. 47.

[4] Citado por James S. Ackerman. *La villa: forma e ideología de las casas de campo*. Cap. 7: *El jardín paisajístico*. Pág. 191. Ed. Akal. Madrid, 1997.
Sobre el pensamiento de Sahaftesbury y, en particular, sobre el acuerdo entre belleza, bondad y verdad, en el que confiaba, puede verse el capítulo *La ley del corazón* incluido en la obra de Terry Eagleton *La estética como ideología*. Ed. Trotta. 2006.

[5] Joseph Addison. *Los placeres de la imaginación y otros ensayos de The Spectator*. Edición de Tonia Raquejo. Visor. Madrid 1991.
Addison citó la importancia del tratado *Sobre lo sublime* (atribuido a Longino y escrito en torno al siglo II d. C.), inmediatamente antes de publicar en *The Spectator* sus escritos sobre los placeres de la imaginación y en los cuales definió *a pleasing kind of horrour* como una característica de lo sublime. La influencia del *tratado* en Addison es evidente, pues en él se defendía una retórica que no sólo persuada, sino que además induzca a los oyentes al éxtasis y esté dotada de fuerza para elevar nuestras almas a las más altas cimas por medio de la sublimidad.
Véase la obra del profesor Rosario Assunto, *Naturaleza y razón en la estética del setecientos*. Visor Ed. Madrid. 1989. (1967).

Nox Lars Spuybroek. *Soft Office*. 2000

[6] El *principio doble* al que se refiere Addison también se encuentra en tratado de Longino *Sobre lo sublime*. En el capítulo 22, después de proponer el empleo del hipérbaton (*un orden que trastoca las palabras y pensamientos de su sucesión natural y constituye la más genuina señal de una pasión vehemente*) para imitar el modo de actuar de la naturaleza, lo justifica explicando que *el arte es perfecto cuando actúa como lo hace la naturaleza y ésta, a su vez, alcanza el éxito cuando esconde el arte dentro de sí*. Rosario Assunto. Op. cit. Pág. 61.

[7] James S. Ackerman. Op. cit. Pág. 197. *Still follow Sense, of ev'ry Art the Soul Parts answ'ring parts shall slide into a whole...*.

[8] Adrian von Buttlar. *Jardines del Clasicismo y el Romanticismo*. Ed. Nerea. 1993.

[9] En el artículo *English Neo-Palladianism, The Landscape Garden, China and the Enlightenment*. (L'arte. 6 junio. 1969) Wittkower escribió: *no podemos disociar la primera fase en defensa del jardín paisajístico de las concepciones ilustradas, morales y políticas, que inspiraron la primera fase del neoclasicismo arquitectónico. Las mismas ideas se expresaban mediante principios formales que nos parecen diametralmente opuestos. Pero los burlingtonianos del siglo XVIII difícilmente tenían conciencia de semejantes contrastes. Para ellos simplicidad y naturaleza eran los vínculos que unían la arquitectura clásica con la naturaleza no manipulada*.
Assunto, por su parte, aclaró que el jardín pictórico y el arquitectónico fueron dos objetivaciones diferentes de las ideas estéticas que nos guían para elegir y juzgar los paisajes. Por eso no resulta extraño que durante el período Neoclásico no prevaleciera la concepción formalista del jardín sino la paisajista. Véase Rosario Assunto: *Ontología y teleología del jardín*. Ed. Tecnos. Madrid. 1991. Pág. 81.

[10] Willian Gilpin: *Tres ensayos sobre la belleza pintoresca*. Abada Ed. 2004. Madrid. (1792).

[11] Edmund Burke: *Indagación filosófica sobre el origen de nuestras ideas acerca de lo sublime y lo bello*. Ed. Tecnos. 1987. (1757).
Burke también consideró que lo inacabado es una característica de lo sublime, capaz de provocar a *serious passion*, como el boceto en la pintura.

[12] Los estudios realizados por Miguel Ángel Aníbarro y Javier Maderuelo sobre el gusto pintoresco, así como la influencia de dicho gusto en la jardinería y la arquitectura, son una valiosa fuente de información.

[13] Heinrich Wölfflin. *Renacimiento y Barroco*. Ed. A. Corazón. Madrid, 1977. Págs. 63 y 64.

[14] Heinrich Wölfflin. *Conceptos fundamentales de la historia del arte*. Ed. Espasa Calpe. 1976. (1915).

[15] Robin Middleton y David Watkin. *Arquitectura moderna*. Ed. Aguilar. Madrid. 1979. Véase el capítulo II, escrito por Watkin, *La tradición pintoresca en Inglaterra*.

[16] Véase la introducción de John Summerson a la obra de Michael Mansbridge: *John Nash. A complete Catalogue*. Phaidon. London. 1991.

[17] John Summerson. *Architecture in Britain. 1530-1830*. Penguin Books. 1977 (1953). Págs. 401 a 404.

[18] Nikolaus Pevsner. *Pioneros del diseño moderno*. Ed. Infinito. 1972 (1936). Pág. 51. Sobre este tipo de confusiones pueden verse, además, los siguientes artículos: *La casa inglesa: el modelo medieval, El modelo funcional y la arquitectura libre inglesa y Ritos de paso: la vivienda inglesa*. Cuaderno de Notas, números 5, 6 y 7 respectivamente. Departamento de Composición, ETSAM, Madrid. M. Prada.

[19] Véase Robert Kerr. *The Gentleman's House or How to plan English Residences*. Ed. John Murray. London. 1865. Lámina 29.

[20] Charles Annesley Voysey en *1874 and after*, texto escrito en 1930 y reproducido por Alastair Service en su libro *Edwardian architecture and its origins*. 1975.

[21] *Incluso las villas descritas por Plinio, que parecen dispersas e irregulares, fueron imaginadas en el XVIII como construcciones simétricas y racionales*. James S. Ackerman. *La Villa: forma y diseño de las casas de campo*. Op. cit. Pág. 26. El carácter pintoresco de la Villa de Adriano en Tívoli y la Piazza Armerina, por otro lado, resulta evidente.

[22] Véanse *Paris-Rome-Athènes, le voyage en Grèce des Architectes Français aux XIX et XX siècles*. Ed. École Nationale Supérieure des Beaux-Arts. 1986. Puede verse también, Jacques Lucan: *Simetría y disimetría. El enigma arquitectónico de los Propileos de la Acrópolis de Atenas*. Revista Arquitectura, nº 273. 1988.

[23] Violet-le-Duc. *Entretiens sur l'architecture*. (1863-72). Tomo I, 2º e, pág. 56, y 10º e, pág. 483.

[24] Auguste Choisy. *Historia de la Arquitectura*. Véase el capítulo *El pintoresco y la simetría perspectiva*. (1899).

[25] Años después Martienssen, siguiendo a Choisy, analizó distintas acrópolis griegas para reafirmar que los templos se dispusieron con cierta informalidad con el fin de que sus cualidades plásticas se pudieran presentar ante el espectador de la manera más clara y evidente. Los propileos, en consecuencia, tenían la misión de encuadrar las vistas de los templos.
Según Martienssen, las antiguas acrópolis eran *campos de exploración plástica* en los cuales los griegos no recurrieron al orden, la frontalidad o la simetría bilateral, sino a los efectos que siglos después se denominaron pintorescos. Véase Rex Diistin Martienssen: *La idea de espacio en la arquitectura griega*. Ed. Nueva Visión. Buenos Aires, 1977 (1956).

[26] Le Corbusier. *Hacia una arquitectura*. Ed. Apóstrofe. Barcelona. 1998 (1923). Págs. 36 a 39.

[27] Adolf Behne. *La construcción funcional moderna*. Ed. Serbal. 1994. (1923).
Peter Collins. *Los ideales de la arquitectura moderna; su evolución (1750-1950)*. Ed. G.G. Barcelona, 1973 (1965).

[29] Véase Josep María Montaner. *Las formas del siglo XX*. Ed. G.G. Barcelona, 2002.

# NOTAS SOBRE TOPOLOGÍA Y EL ORIGEN DEL BRUTALISMO

## Parte Segunda

*Collage* de obras de Nigel Henderson, arriba, y Eduardo Paolozzi, debajo. 1952.

# INTRODUCCIÓN

*... que no hay nada artificial, porque siempre es ella, la naturaleza, la que produce y escenifica todo, incluso aquello que parece contradecirla.*

Claudio Magris en *Microcosmos*.

La arquitectura configurada con volúmenes irregulares, alabeados o plegados, suele relacionarse con la topología. Pero la topología no estudia la irregularidad, sino la continuidad. *Topología* es la rama de la matemática que trata de la continuidad y de otros conceptos más generales que se originan de ella, como las propiedades que tienen las figuras con independencia de su tamaño o forma aparente.[1]

En la práctica, la topología se ocupa de las estructuras continuas, como las redes y los grafos. En informática, por ejemplo, se ocupa de los diferentes esquemas de conexiones (lineales, en árbol, en anillo y en estrella). La topología se ocupa además de los nudos, de las estructuras fractales y de las relaciones entre las formas que pertenecen a diferentes dimensiones.

Puesto que la topología se dedica al estudio de la continuidad, la relación entre topología y arquitectura puede fundamentarse en la atención que ambas prestan, aunque sea desde perspectivas diferentes, a las circulaciones y las conexiones. Considerando esta relación estructural, cualquier objeto arquitectónico admite un análisis topológico. Pero en ocasiones la relación se fundamenta en la irregularidad, suponiendo que dicha irregularidad es natural y el objeto de la topología. Entonces se produce la ilusión de que la irregularidad, en arquitectura, se encuentra avalada por la matemática y la ciencia. Refuerza esta ilusión la importancia que las nuevas ramas de la física conceden al azar, la indeterminación y los procesos irreversibles, a la hora de explicar la complejidad.

Con esta ilusión, y una vez superada la analogía biológica (*el edificio es como un ser vivo*), aunque enredados en la analogía mecánica (*el edificio es como una máquina*), en la técnica (*el edificio es como un sofisticado producto de alta técnica*) y en la fabulosa historia de la inteligencia artificial (*el edificio es inteligente*), se impone la analogía topológica, la cual viene a decir, sin necesidad de palabras, más o menos lo siguiente: la irregularidad de los edificios plegados o alabeados, como la irregularidad natural a la cual representa, se encuentra justificada por los principios de la topología.

Es cierto que un edificio no es como un ser vivo (que se alimenta y reproduce), como una máquina (que funciona mecánicamente), como una persona inteligente (que piensa bien), como una ola (sujeta a un dinamismo), como un mineral (sólido e inmutable), como una formación geológica, etc. También es cierto que la topología no estudia la irregularidad, sino la continuidad. Pero si se reconoce que todo arte es poético y que la arquitectura es un arte, no hay motivos para rechazar el papel que desempeñan este tipo de metáforas y analogías en la evolución de las formas artificiales.

La topología es una disciplina abstracta que, en rigor, no mantiene ninguna relación con el arte, la arquitectura o los objetos reales. Ocurre, sin embargo, que a pesar del alto nivel de abstracción en el que se desenvuelve la topología, los topólogos suelen recurrir a las analogías para explicar sus fundamentos.

Los topólogos explican, por ejemplo, que un plano esquemático de una red de metro y la red de metro real son objetos equivalentes. Justifican esta afirmación porque las relaciones de posición entre sus elementos se mantienen. También consideran equivalentes, por la misma razón, tanto los sólidos sin agujeros (como un prisma y una esfera), como los sólidos con el mismo número de agujeros (como una rosquilla y un cartabón). No importa que sean regulares o irregulares, pues la razón de la equivalencia radica en que puedan transformarse uno en otro, de manera continua, sin alterar las relaciones de posición entre sus puntos. (Sin romper lo unido, ni unir lo separado).

Una rosquilla es como un cartabón porque ambos tienen un agujero; un edificio es como un ser vivo porque requiere un sistema circulatorio. La analogía produce sentido. Pero existe un tipo particular de transformación que justifica la analogía topológica. De acuerdo con el orden de las relaciones (de posición) que estudia la topología, dos figuras se consideran equivalentes cuando la figura final es el resultado de plegar, doblar, alabear, estirar, contraer, retorcer o arrugar la figura inicial. La única condición que pone la topología es que sea posible establecer una correspondencia biunívoca entre los puntos de la figura inicial y los de la transformada.

La analogía topológica, en este caso, se presenta con más claridad, pues alabear, plegar, arrugar o doblar son las operaciones formales que caracterizan algunos edificios singulares de éxito reciente. El transporte

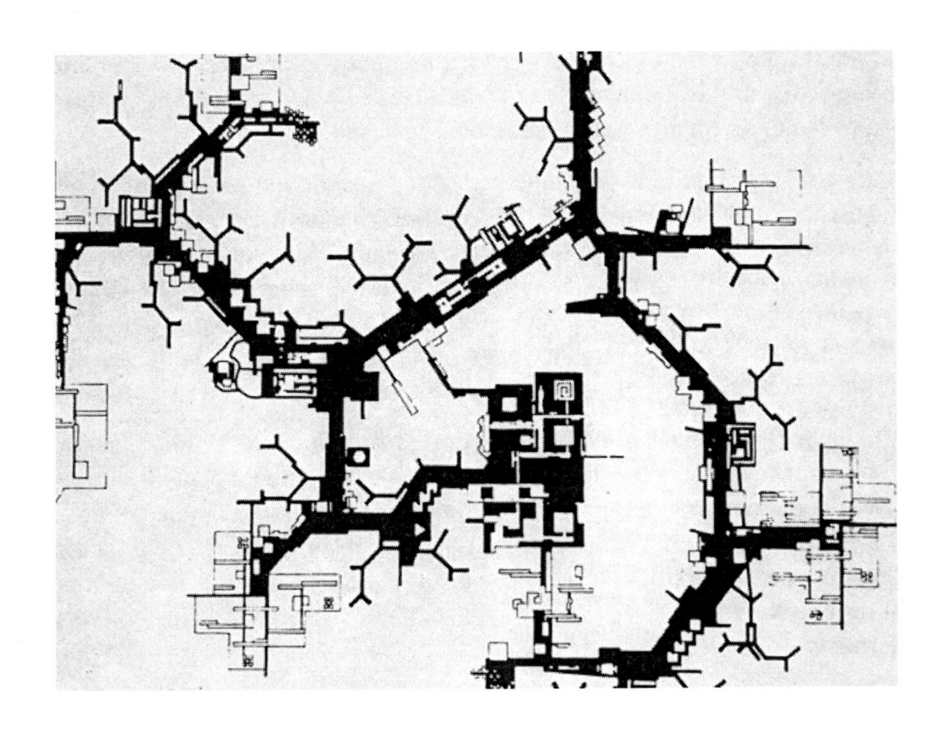

Candilis, Josic y Woods. *Barrio Tolouse-le Mirail.* 1961-66. Esquema de recorridos peatonales a nivel del suelo, de acuerdo con una estructura fractal en la cual existe una equivalencia topológica entre elementos de escalas diferentes. (En el esquema, la rama es como el tronco, lo cual recuerda el escrito de van Eyck, *árbol es hoja y hoja es árbol, casa es ciudad y ciudad es casa*).

metafórico de los significados, ahora, se puede expresar de la siguiente manera: puesto que la topología admite las operaciones citadas, estas operaciones, en arquitectura, también resultan admisibles.

Este *transporte* oculta, sin embargo, que las operaciones topológicas no resultan significativas por la irregularidad que producen, sino porque garantizan la continuidad entre una forma inicial, situada por ejemplo en un plano, y la forma que resulta de manipular libremente ese mismo plano, plegándolo, alabeándolo, doblándolo o arrugándolo, sin llegar a romperlo. La analogía topológica oculta que las transformaciones regulares, en topología, son igualmente significativas.

Al margen de que la nueva arquitectura irregular se justifique mediante metáforas o analogías, fundamentales por otro lado en el arte, la topología, en tanto se ocupa del orden de las relaciones, se ocupa de las estructuras formales. Desde este punto de vista, no sólo se puede relacionar con las formas del arte y la arquitectura, sino también con las formas naturales. Esto fue lo que hizo, hacia la mitad del siglo XX, el ingeniero francés Robert Le Ricolais.

Ricolais analizó las estructuras naturales considerando que lo esencial en ellas no se encuentra en la noción de medida, sino en las nociones topológicas de posición, conexión y organización. Hasta ese momento, se aceptaba que la regularidad era una condición esencial de la resistencia y belleza de las formas. Pero Ricolais descubrió que la resistencia de muchas estructuras naturales no dependía sólo de la regularidad sino también de las variaciones y deformaciones que se observan en ellas.

Según Ricolais, las variaciones que aparecen en muchas estructuras naturales, especialmente en sus límites, deben ser tenidas en cuenta para explicar la eficacia resistente del conjunto. Después de estudiar la eficacia resistente de los huesos en relación a su peso, y después de examinar las estructuras óseas al microscopio, llegó a la conclusión de que la eficacia resistente de los huesos depende de las transformaciones topológicas que se producen en sus estructuras alveolares. La variable malla tridimensional de los vacíos alveolares, adecuada a sus límites mediante deformaciones, resultó ser tan responsable de la resistencia de los huesos como la resistencia de la propia materia.

Los estudios que realizó sobre el orden variable de las fibras y tejidos, confirmaron la importancia de las transformaciones topológicas y la influencia de los vacíos en la resistencia.

El desarrollo de las nociones matemáticas de *continuidad* y *variación*, finalmente, condujo a Ricolais a proponer la idea de *estructura de estructuras* en referencia al orden topológico: *la noción de ESTRUCTURA invade el campo de nuestros conocimientos, escribió. En efecto, más que la estructura misma, importa más, si se me permite el pleonasmo, LA ESTRUCTURA DE LAS ESTRUCTURAS. La evolución intelectual en curso, donde lo cualitativo importa más que lo cuantitativo, se configura con la emergencia de la noción matemática de variación.*[2]

La posición estructural de Ricolais se fundamentaba en la posibilidad de establecer analogías significativas entre las formas naturales y las artificiales.

En el año 1955, iniciados sus contactos con Louis Kahn, se hizo la siguiente pregunta: *¿cómo puede la arquitectura, que trata de los problemas de las conexiones, ignorar la topología, que es, de por sí, la ciencia de la conectividad?* (Del ensayo *Topology and Architecture*). La topológía, que concebía como *arte y ciencia de las conexiones*, se debía referir también al orden de las circulaciones, lo cual debe conducir, según el ingeniero francés, al problema esencial de la arquitectura y el urbanismo.

Ricolais, para terminar, sugirió que ningún arquitecto debía ignorar el trabajo de Ernst Haeckel, el zoólogo alemán que a finales del XIX dedicó su vida a comparar las estructuras formales de los seres vivos, llegando a la conclusión de que la naturaleza es capaz de variar sus modelos sin prescindir de la ley.[3]

La relación entre arquitectura y topología, de una manera más ingenua quizás, ha sido analizada recientemente por el matemático Michele Emmer.

Emmer parte del supuesto de que la matemática y la geometría son lenguajes de la naturaleza y determinan nuestra concepción del espacio. Según Emmer, es fácil comprobar cómo la topología y la geometría fractal han cambiado nuestra manera de concebir el espacio. Pone como ejemplo el diseño que realizó Frank Gehry para el museo Guggenheim

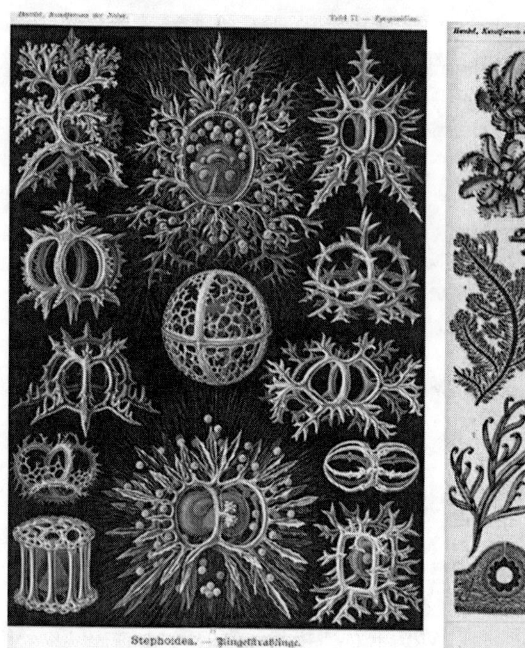

Ernst Haeckel. *Floridae y Stephoidea*.
Lams. 65 y 71 de *Kunstformen der Natur*.

de Manhattan, que es, afirma categórico, *incluso más topológico que el de Bilbao.*[4]

Apoyándose en Poincaré, Emmer explica que la topología es la ciencia que muestra las propiedades cualitativas de las figuras geométricas no sólo en el espacio ordinario sino también en el espacio de más de tres dimensiones. Pero en lugar de ocuparse de dichas cualidades, o de sus transformaciones topológicas, se conforma con citar a Benoît Mandelbrot, descubridor de la geometría fractal, cuando se quejaba de las limitaciones que presenta la geometría clásica para describir la forma de una nube, de una montaña, de una costa o de un árbol: *las nubes no son esferas, las montañas no son conos, las costas no son círculos y los meandros no son regulares; tampoco la luz viaja en línea recta... La Naturaleza no sólo revela un alto nivel de complejidad sino un nivel completamente diferente de complejidad al que presenta la geometría.*

La visión de Emmer, que es la de un matemático ilusionado (enseña matemáticas en la universidad de La Sapienza), hace depender la concepción del espacio de la evolución de las matemáticas. Y así llega a la conclusión de que la actual arquitectura de pliegues o alabeos irregulares se debe a la influencia de la topología sobre los arquitectos, lo cual recuerda, por otro lado, la manera en que se justificó el arte cubista aludiendo a la necesidad que tenían algunos artistas de representar la cuarta dimensión.

Emmer, por tanto, mantiene la tradición de justificar metafóricamente las formas del arte aludiendo a otras disciplinas. E ingenuamente encuentra sentido a ciertos edificios, como los de Gehry, por ejemplo, asociándolos con la disciplina que le resulta más significativa. De esta manera añade a las analogías biológica y mecánica, la analogía topológica, aunque ahora suponiendo que determinados edificios deben su forma irregular a la influencia que ha tenido la topología sobre las ideas de los arquitectos. No obstante matiza: no quiero decir que todos los arquitectos deban estudiar profundamente matemáticas y topología, incluso aunque no les haga ningún daño... sino que deben estar atentos a lo que ocurra en el mundo científico para reconocer las señales y comprender los cambios que se producen en nuestra idea de espacio. Y con el simple *reconocimiento de las señales*, Emmer reconoce que la arquitectura topológica es el producto de una ilusión, aunque no fundamentada en relaciones y analogías estructurales, como pretendía Ricolais, sino en los significados que se conceden a determinadas palabras.

Por un lado, reconoce: *podría decirse que es el propio universo el que se modifica de acuerdo con los cambios y mutaciones que se producen en nuestras teorías. Las palabras mutación y transformación son las claves de estos procesos.*

Por otro, señala que las palabras clave que justifican la relación entre la nueva matemática y la arquitectura irregular son las siguientes: *nueva geometría, cuarta dimensión, topología, lógica e imágenes de ordenador.* Estas son las palabras, de hecho, que él mismo ilusionadamente conjuga con las palabras *fantasía* y *libertad* al final de su ensayo (en la página 88 de la edición en español). Entre la matemática y la fantasía, en este caso, no cabe la noción de *formalización* reivindicada por Rafael Moneo en su escrito *sobre la arbitrariedad.*

Según Emmer, hay seis elementos que dan sentido al *espacio* (a la palabra espacio) en este contexto.

El primero es el *espacio Euclídeo*, matriz de la medida del universo durante siglos.

El segundo es *libertad*, pues, aunque concede que el rigor es necesario, define la matemática como el reino de la libertad.

El tercero es considerar la manera en que las nuevas ideas sobre la geometría y el espacio no-euclídeo son transmitidos y asimilados por los arquitectos, aunque no sean completamente comprendidas por ellos. Los arquitectos, argumenta, miran a otras disciplinas en busca de inspiración y utilizan medios, como los ordenadores, que han sido originalmente ideados para otras tareas.

El cuarto es el ordenador, que es calificado por Emmer, sin rubor, como *máquina inteligente e irreemplazable, y no sólo en arquitectura.*

El quinto elemento es progreso; *"la palabra progreso"*, matiza sin ironía.

El sexto elemento es *palabras*. Las palabras como *fractales* (geometría), *catástrofes* (teoría de), *complejidad*, *hiperespacio*, *topología*, etc., son simbólicas y metafóricas, escribe Emmer, en el lenguaje de los arquitectos.

Pero las *palabras* metafóricas deberían ocupar el lugar más destacado en la lista, pues son las que sostienen en primer lugar el sentido de las cosas. El problema es que, reconociéndolo así, Emmer debería reconocer que la matemática no es la que produce o transforma la visión intuitiva que tenemos del mundo sino que la matemática es producida y transformada por ésta.

Tal y como Emmer las presenta, las matemáticas determinan la orientación del pensamiento, la religión, la cultura e, incluso, del arte. Primero fueron las ideas de los matemáticos y después los artistas plásticos las interpretaron metafóricamente. Parece olvidar, sin embargo, que el espacio y el tiempo, desde Kant, no se entienden como creaciones de la matemática, sino como formas *a priori* de la sensibilidad o intuición. Parece olvidar, además, que dichas *formas de la sensibilidad* organizaron el mundo como conjunto de límites y recortes significativos: el espacio mensurable, en relación al espacio sagrado (*templum*), y el tiempo ordinario, en relación al tiempo de la celebración (*tempus*). Véase Cassirer.

Es verdad que la arquitectura, durante siglos, ha seguido las reglas dictadas por la geometría de Euclides y la ciencia de las proporciones. También, que la geometría Euclídea es relativa y que sus postulados no son siempre válidos. Una analogía: *"un cuadrado en el País de las superficies planas –Flatland– no tiene ni idea de la existencia de las esferas"*. Incluso si una esfera descendiese a dicho país, no sería reconocida por el cuadrado como perteneciente a otro mundo porque lo único que aparecería de ella en el plano país sería un círculo. Si el cuadrado se encontrara con una esfera que le ayudara a salir del país plano y entrar en el país del espacio tridimensional, el cuadrado sólo sentiría confusión. (Del libro, *Flatland: a romance of many dimensions; by a square*, de Edwin Abbot. 1884).

Es cierto: en un país de tres dimensiones no se pueden ver los objetos de cuatro porque parecen tener tres. Pero es difícil que este tipo de razonamientos lleguen a condicionar las formas del arte, pues la sensibilidad, incluso en el campo del pensamiento, es anterior a la ciencia. Una prueba es que Heráclito, 25 siglos antes de que lo hiciera la nueva matemática, ya anteponía la noción de variación a la de estabilidad. Las reflexiones en el arte sólo resultan significativas si espontáneamente la sensibilidad, cuyos principios no son individuales sino colectivos, las transforma en metáforas: aunque Duchamp sabía que *la sombra causada por una figura de cuatro dimensiones es una figura de tres dimensiones en nuestro espacio*, también sabía que la cuarta dimensión *llegó a ser algo de lo que se habla entre los artistas sin saber lo que significa*.

Al igual que los artistas del Renacimiento, algunos arquitectos del siglo XX, como Le Corbusier o Louis Kahn, sostenían con ilusión que las matemáticas expresan verdades reconfortantes. Detrás de las matemáticas, encontraban la Idea.

En la nueva matemática, sin embargo, las nociones clásicas de *certeza* y *estabilidad* están siendo desplazadas por las nociones de *probabilidad* y *variación*. Estas son las nociones que, confundidas con la noción de irregularidad y con la idea de libertad que desde el siglo XIX se asocia con ella, ayudan a Emmer a sostener la ilusión de una arquitectura topológica. De paso colaboran a mantener la ilusión del arquitecto o el artista genial, libre y creador.

Al aceptar los fundamentos estructurales de la topología y aplicarlos metafóricamente a la arquitectura, Emmer se sitúa en esta posición ventajosa, pues se aprovecha del poder de las analogías para conceder sentido a la irregularidad, dando por supuesto el rigor que deberían tener los juicios de un matemático.

El problema de los argumentos de Emmer es que no ha sido la matemática, sino el arte, quien ha concedido sentido al espacio. Tampoco lo hace la física, que se ocupa especialmente del espacio, pues desde hace años afirma la existencia de grandes vacíos entre las partículas elementales sin que ello afecte a nuestra concepción del espacio.

El problema es que el sentido intuitivo de la topología no depende de las abstracciones de los matemáticos. Dicho sentido es natural y determina, desde la prehistoria, la topológica configuración de muchos productos artificiales. Un ejemplo de ello es el complejo orden estructural de los asentamientos humanos no planificados. Los estudios de Jean Piaget, por otro lado, demostraron que las nociones espaciales que el niño desarrolla nada más nacer no son euclidianas, sino topológicas.

En una posición más rigurosa, situada a medio camino entre la lógica concreta de las cualidades sensibles que Lévi-Strauss descubrió en las formas primitivas de pensamiento (del arte, la magia, el mito y las *heteróclitas clasificaciones totémicas*) y la lógica rigurosa del pensamiento intelectual, se encuentran todos aquellos que, como Haeckel y Ricolais, confiaron en la existencia de una relación estructural entre las formas naturales y las artificiales. Y se encuentra el físico Jorge Wagensberg, cuando analiza las formas artificiales de acuerdo con los principios de complejidad e indeterminación que caracterizan los procesos naturales irreversibles.[5]

La dificultad de mantener esta inestable posición, como la dificultad del estructuralismo, consiste en aclarar mediante argumentos lógicos el complejo orden estructural que la naturaleza y la sensibilidad producen sin necesidad de razones. Ésta será nuestra dificultad, como fue la dificultad de los primeros artistas y arquitectos que, a mediados del siglo XX, intentaron descubrir las relaciones estructurales entre las formas naturales y las artificiales. La dificultad consiste en presentar el orden de las analogías y, con él, los complejos órdenes de significados que éstas generan desde que los primeros humanos comenzaron a sentir que unas cosas se relacionan con otras a pesar de la diferencia.

En el ámbito de la arquitectura fue quizás Reyner Banham quien relacionó por primera vez la topología con unas formas arquitectónicas determinadas. Según él, la palabra que mejor definía el proyecto de los Smithson para la Universidad de Sheffield (y por extensión al movimiento que denominó *Nuevo Brutalismo*) *era topología*. En este proyecto, escribió Banham, *grandes bloques topológicamente equivalentes se alzan por el lugar con desgarbada memorabilidad... (New Brutalism: Architectural Review*. Dic. 1955). La composición de Sheffield, según el crítico, no estaba basada en la geometría y la regularidad, sino en un *sentido intuitivo de la topología*.

La topología, para Banham, se encontraba referida a la estructura *abierta* de las relaciones y la continuidad que presentaban los elementos de este edificio. Pero también, y sobre todo, a la irregularidad (*aformalism*) que, según él, caracterizaba dicho edificio.

Además empleó la palabra topología haciendo referencia al tipo de clasificación (*topológica*) según la cual, y según sus propias palabras, *un ladrillo tiene la misma forma que una bola –porque es un sólido sin cavidades– y una taza de té, la misma que un disco de gramófono –porque es una superficie continua con un agujero–*.

Las transformaciones topológicas y la vaga irregularidad que asociaba con la topología, finalmente, le permitieron relacionar los primeros proyectos quebrados de los Smithson con el *arte informal* de la época: el proyecto de Sheffield, concluyó Banham, *sigue siendo el punto más extremo y consistente alcanzado por un Brutalista en su búsqueda de Une Architecture Autre*. (Se refería a la exposición *Un art Autre* celebrada en 1952 en la galería Facchetti de París, y al libro del mismo título publicado por Michel Tapié).

En lo que sigue se intentará mostrar que las formas arquitectónicas que Banham denominó *topológicas* no tienen su origen en la topología matemática, sino en las nuevas formas naturales y artísticas que en aquellos momentos interesaban a los Smithson; que la topología, en todo caso, puede servir para analizarlas, estudiando el orden de las relaciones y la lógica de sus transformaciones, o para concederles sentido, en cuyo caso se produce una situación semejante a la que se dio cuando se justificaron las formas curvas en arquitectura aludiendo a las formas de los órganos interiores de los seres vivos, o cuando se justificó el cubismo aludiendo a la necesidad de representar la cuarta dimensión.

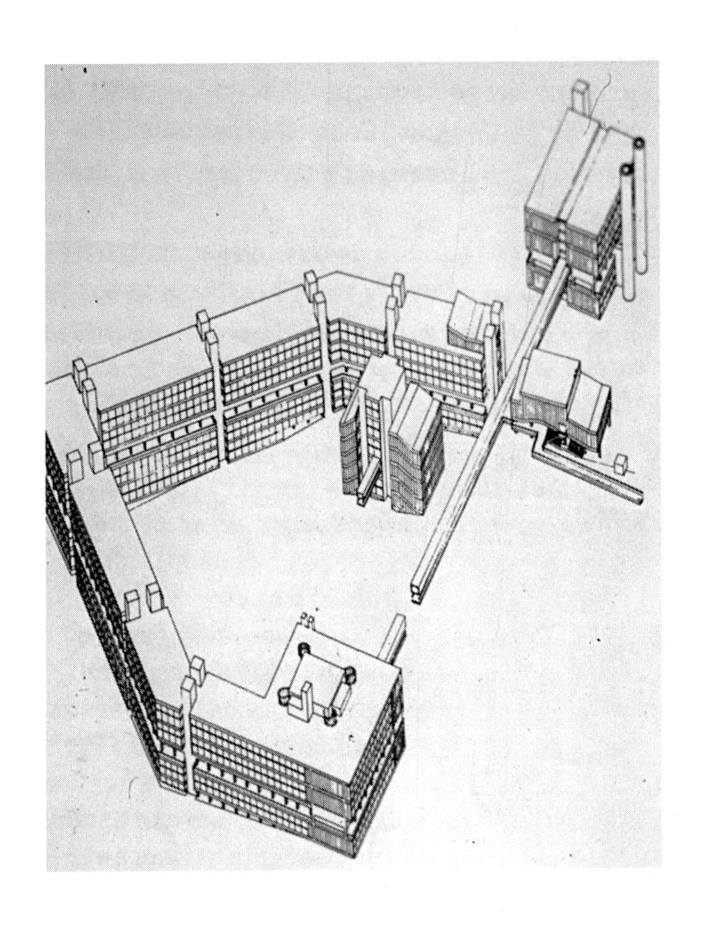

Alison y Peter Smithson.

Axonométrica de la ampliación de la Universidad de Sheffield. 1953.

# UNA EXPOSICIÓN BRUTALISTA

*El primer gran período de la arquitectura moderna terminó en 1929 y el trabajo que ha sido realizado después puede ser considerado como preámbulo del segundo período creativo que empieza ahora.*

*El segundo gran período creativo debería proclamarse con una exposición en la que la yuxtaposición de los fenómenos de diferentes campos hiciera patente la existencia de una actitud nueva.*

Alison y Peter Smithson. 1952.

Nigel Henderson. Fotografías de la exposición *Parallel of Life and Art*. Institute of Contemporary Arts. Londres. Septiembre y octubre de 1953.

En el año 1953, el polifacético artista escocés Eduardo Paolozzi, el fotógrafo y *collagista* Nigel Henderson, junto con el ingeniero Roland Jenkins y la pareja de arquitectos Alison y Peter Smithson, realizaron para el *Institute of Contemporary Arts* de Londres (ICA) una exposición titulada *Parallel of Life and Art* (Paralelo de vida y arte). En dicha exposición, que inicialmente denominaron *Sources* (Fuentes), reunieron 122 fotografías de diferentes objetos, naturales y artificiales, la mayoría caracterizados por fuertes texturas y complejos órdenes estructurales.[6]

El objetivo de la exposición, según declararon sus autores, era *ampliar el campo de visión del hombre más allá de los límites impuestos por las generaciones anteriores.*

El objetivo no declarado de la exposición era mostrar la continuidad topológica que existía entre algunas formas naturales y otras artificiales: las fotografías debían mostrar a los visitantes los paralelos y analogías que producían entre ellas.

*El material de la exposición estará sacado de la vida –la naturaleza – la industria – la construcción – las artes – y se selecciona para mostrar no tanto la apariencia como la esencia o principio, es decir, la realidad que hay detrás de la apariencia*, escribieron los Smithson.

Pero las fotografías, salvo algunas de Henderson, no fueron realizadas por los responsables de la exposición, sino que sólo fueron seleccionadas y extraídas de diversas fuentes gráficas, entre las que destacan *Thorton's Book of Vegetable Anatomy, Common Objets of Microscope, Journal of the Iron & Steel Industry, Aerofilms copyright, National Geografic Magazine y Journal of Applied Physics.*

El concepto de la exposición, en palabras de Paolozzi, era *revolver hasta encontrar un terreno común...* compartido por todos.

Para empezar, quedaron en verse una vez a la semana y amontonar material. Miraron en revistas, periódicos, catálogos, enciclopedias y libros. Después seleccionaron, también por separado, las imágenes que consideraron más sugerentes. Se pusieron de acuerdo, por último, para seleccionar las imágenes definitivas.

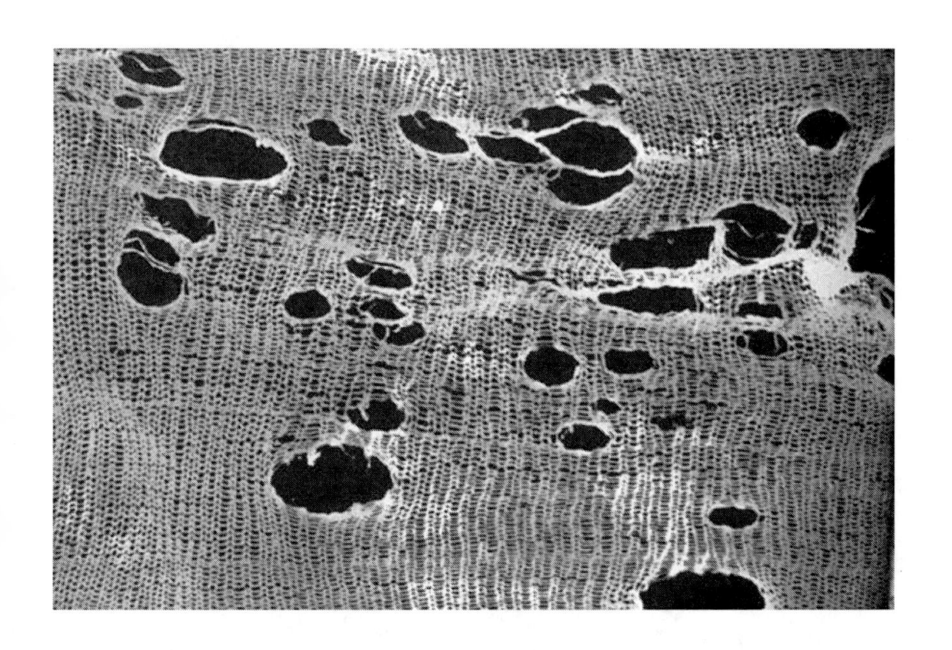

Fotografía de una gasa rota realizada por Niguel Henderson entre los años 1949 y 1952, la cual recuerda la sección microscópica de la madera de pino mostrada, con el número 13, en la exposición *Parallel*...

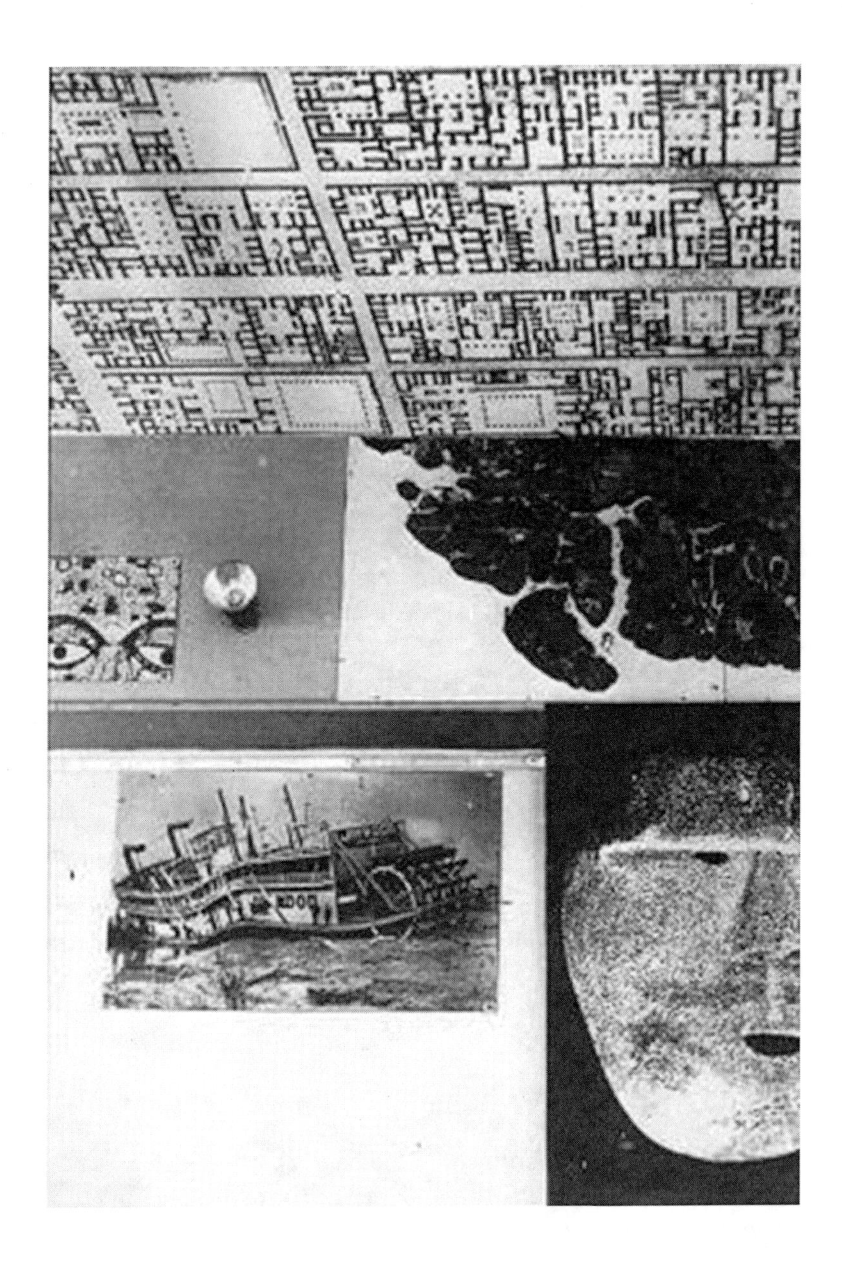

Fotografías de la exposición *Parallel of Life and Art*, realizadas por Nigel Henderson. En la primera destaca, arriba, la microfotografía titulada Proteus. (N° 45). En la segunda destaca, abajo a la derecha, la máscara de hueso esquimal que fue portada de la revista *Architectural Review.*

Una vez realizada la última selección, ampliaron las fotografías, las fijaron sobre cartones y las montaron en una sala del Instituto; unas colgadas del techo, otras, de las paredes y algunas apoyadas en el suelo. Todo ello, además, sin cobrar honorarios.

Henderson describió así el montaje: *estuvimos colgando el material durante dos o tres días... y tratamos de hacerlo formando una especie de telaraña sobre la cabeza de la gente porque el local debía utilizarse para conferencias durante la exposición... en esos días... discutimos y volvimos a ponernos de acuerdo, de modo que al final acumulamos un fuerte estrés.*

El problema era que los cuatro amigos tenían fuertes personalidades, llegando a ser acusados de *arrogantes y snobistas* por el crítico John McHale.

Paolozzi, por ejemplo, *era vigoroso y en cierto modo agresivo* (Dorothy Morland, directora del ICA). Estaba interesado en el diseño textil, en el arte surrealista, en las esculturas de Giacometti, en las técnicas del *collage*, en el arte primitivo, el *arte informal* y el *art brut* que había conocido recientemente en París. Henderson, mayor y más calmado que Paolozzi, se interesaba por los experimentos fotográficos y por todo tipo de estructuras orgánicas y microscópicas. Los Smithson, por último, estaban interesados en descubrir nuevos órdenes formales para sacar a la arquitectura y el urbanismo de la situación de estancamiento en la que, desde su punto de vista, se encontraban en aquel momento. Pero todos eran buenos amigos y deseaban compartir sus intereses.

Acordaron, para empezar, que las imágenes para la exposición debían seleccionarse intuitivamente entre las formas nuevas del arte, las formas producidas por la técnica (antigua y moderna) y las curiosas formas naturales que descubrían los nuevos inventos técnicos.

El interés por la ciencia y las formas naturales no era nuevo en el ICA, pues había fundado recientemente un departamento para analizar la influencia del pensamiento científico en el desarrollo de arte contemporáneo. Una consecuencia de aquel interés fue la exposición *Growth and Form* (Crecimiento y forma) que 2 años antes se realizó en una sala del Instituto y en la cual Richard Hamilton, su promotor y organizador, incluyó diagramas de estructuras moleculares y secuencias de crecimiento orgánico realizadas con cámaras especiales acopladas a

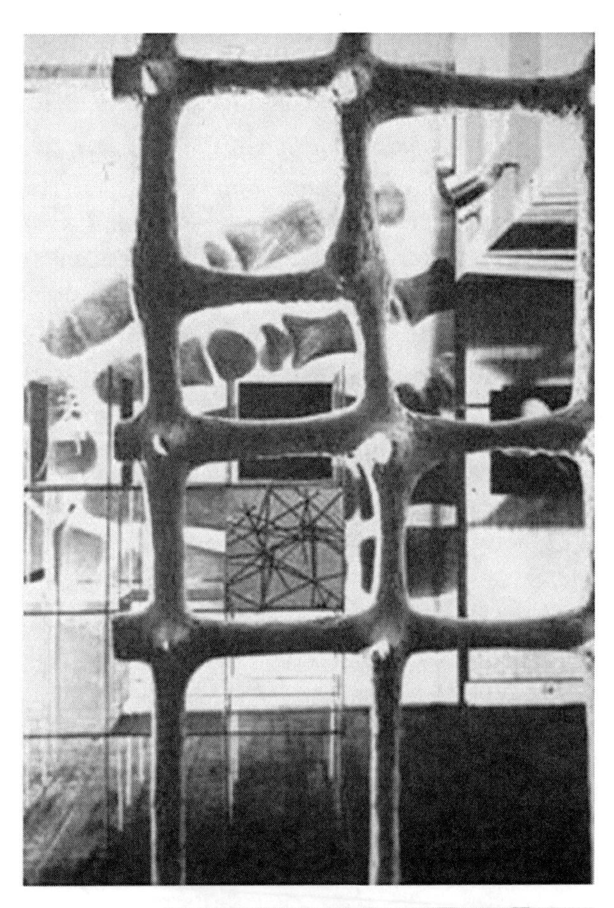

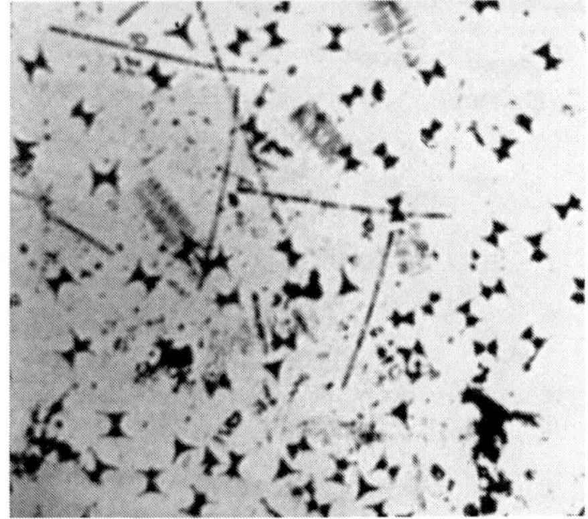

Exposición *Growth and Form* realizada por Richard Hamilton en 1951, y diapositiva del agua del Támesis vista al microscopio, que Hamilton mostró en una conferencia en la Universidad de Durham.

microscopios. Los debates que se realizaron alrededor de la exposición transmitieron el mensaje de que debía permitirse que cada forma sugiriera su principio de organización y su lógica de crecimiento.[7]

Los inventos técnicos, *la ampliación fotográfica, la fotografía aérea y el flash de alta velocidad, proporcionarán nuevas herramientas para ampliar nuestro campo de visión más allá de los límites explorados por la generación anterior,* escribieron los Smithson. Las microfotografías, las fotografías realizadas con el microscopio electrónico y las realizadas con rayos X, también debían ayudar a conseguir este objetivo.

El libro de Moholy-Nagy, *Vision in Motion* (Ed. Chicago, 1947) les sirvió como fuente de inspiración. De él tomaron prestada, para la cubierta del catálogo, una fotografía de un hombre afeitándose tomada con rayos X (y que Moholy-Nagy tomó prestada, a su vez, de los laboratorios Westinghouse). Pensaban, además, que las imágenes abstractas que descubrían las nuevas técnicas disiparían la perplejidad que sentía la gente corriente al enfrentarse al *arte informal. Hoy, por ejemplo, el pintor puede encontrar bajo el microscopio un mundo de imágenes que impresionan sus sentidos con más intensidad que el ordinario mundo de calles, árboles y caras*, escribieron los Smithson.[8]

Estaban de acuerdo, por último, en que las formas artísticas, las formas técnicas y formas naturales *pueden ser provechosamente comparadas*. Confiaban en descubrir, entre ellas, nuevos paisajes y *fructíferas analogías*. Paolozzi, refiriéndose a Paul Klee, lo explicaba de la siguiente manera: *¿y no es verdad que una mirada al microscopio nos revela imágenes fantásticas que no comprenderíamos si las viéramos en otro lugar? ¿Se interesa el artista por el microscopio, la historia o la paleontología? Sólo con objeto de comparar, sólo en el ejercicio de la movilidad de su mente.*

Los siguientes comentarios de Henderson expresan la importancia que concedía a este tipo de analogías: *un día envié unos cuantos de mis primeros y vacilantes grabados a mi amigo Eduardo que se encontraba en París. Él, muy generosamente, en un viaje posterior a Londres, me trajo una pequeña ampliación que seguramente había realizado para un dibujo. Me quedé fascinado. La vi como si fuera una especie de herramienta de dibujo y descubrí que podía introducir todo tipo de cosas en la ranura donde se colocaba el negativo... talones de calcetines y codos de jerseys usados* (casi transparentes, desgastados por el uso). *Las fracturadas celdillas que resultaban me recordaron microsecciones de botánica...*

Una vez realizada la selección definitiva, descartando las imágenes que no consiguieron el acuerdo de todos, las fotografías se numeraron y clasificaron para ser presentadas en el catálogo. La clasificación que finalmente se presentó en el catálogo fue la siguiente: *anatomía, arquitectura, arte, caligrafía, fechados en 1901, paisaje, movimiento, naturaleza, primitivo, escala humana, tensión, estructura en tensión, football, ciencia ficción, medicina, geología, metal y cerámica.*

La arbitrariedad de esta clasificación se confirmaba en cada uno de los apartados. Así por ejemplo, en el apartado *"Arte"* aparecían reunidas las siguientes imágenes: un vaso funerario etrusco con forma de cabeza humana, la figura recostada de un hombre enterrado bajo las cenizas del Vesuvio (utilizada por Paolozzi para confeccionar el cartel de la exposición), un tatuaje de una novia esquimal, una inscripción ideográfica de la cultura Minahassa, una foto del funeral del rey George VI, una obra de Dubuffet pintada en 1950, la impresión por contacto (realizada por Henderson) de un espejo con el azogue desintegrado, una pintura de Burri, una foto de Jackson Pollock pintando en su estudio, una máscara esquimal realizada con hueso de ballena, la foto de una colisión múltiple en una carrera ciclista y la radiografía de un gato que golpea una pelota. En el apartado *Primitiv*, aparecían una pintura de Klee realizada en el año 1931, trazos ideográficos de los indios Aimara, una figura grabada en madera de la tribu de los Kwakintl, una pintura realizada por niños y, por último, la pintura de un loco.[9]

La falta de lógica de estas agrupaciones respondía a la sensibilidad surrealista que había llegado hasta grupo, con Paolozzi, desde París. Guiados por Paolozzi y enfrentados a la amenaza que suponía un *arte moderno* convencional, los autores de la exposición esperaban encontrar en el juego y el azar, el fundamento compartido por el arte y la vida. De hecho, compartieron con los surrealistas sus intenciones y sus métodos.

En cuanto a las intenciones, compartieron ese afán de *reventar el tambor de la razón razonante* (*para contemplar el orificio*), al que refería

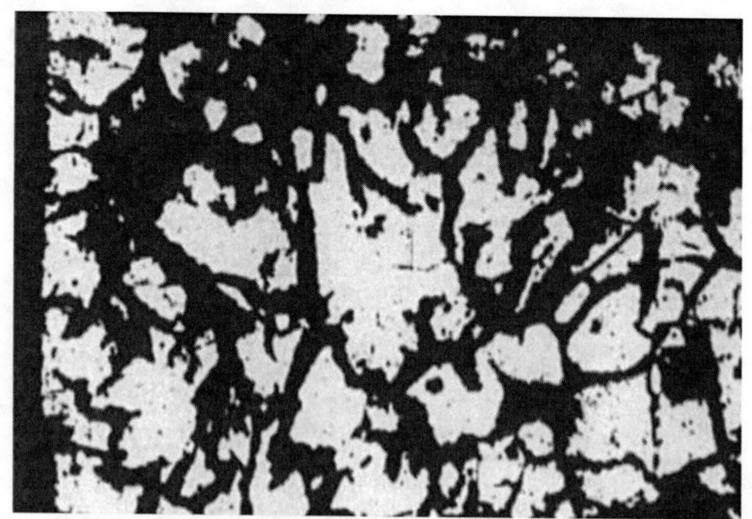

Dibujo de Klee (nº 96) y espejo desintegrado fotografiado por Henderson (nº 34), tal y como aparecen en dos páginas del catálogo de la exposición.

Bretón el mismo año en que se inauguró la exposición. Para conseguirlo, era necesario recurrir, según sus palabras, a *un tipo de intuición poética* (que fuera) *capaz de aprehender todas las estructuras de nuestro mundo, manifiestas o no.*[10]

En cuanto al método, confiaron en el azar, la espontaneidad y los encuentros casuales para desvelar el orden esencial de las cosas.

Superados los tiempos en que la forma artística se generaba primero en la mente del artista, como idea, para después materializarse de acuerdo con un ideal de perfección (técnico y artístico), los miembros del grupo pensaban, al igual que los surrealistas, que la forma artística podía *encontrarse* azarosa, espontánea e intuitivamente en las cosas ordinarias. También pensaban que el artista podía *encontrar* espontáneamente la forma durante el proceso de ejecución de la obra. Veían en las obras de Klee, Pollock y Dubuffet, buenos ejemplos de ello.

El método para *montar* la exposición, explicaron los Smithson, *consistió en yuxtaponer ampliaciones fotográficas de imágenes construidas por la vida, la naturaleza, la industria, la construcción y las artes, para entenderlas como acontecimientos que forman parte del Nuevo Paisaje que revelan las ciencias experimentales y crean los artistas y teóricos*.

Y precisaron: *estas imágenes no se encuentran organizadas siguiendo una secuencia formal, sino permitiendo que entre ellas se establezcan complejas relaciones cruzadas entre los distintos campos del arte y la técnica. Así producirán un amplio panorama de asociaciones y fructíferas analogías... como si formaran parte de una nueva Piedra Rosetta. Así presentarán una fugitiva delineación de los rasgos que caracterizan nuestro tiempo...*[11] (Todo medio es bueno, escribió Bretón, para dar la deseable espontaneidad a las asociaciones).

Según David Robbins, los autores de la exposición coincidían con Moholy-Nagy en que los fotomontajes de origen dadaísta y surrealista *exigen una gimnasia concentrada del ojo y el cerebro para acelerar la digestión visual e incrementar el alcance de las relaciones asociativas*. Por este motivo concibieron la exposición como un montaje surrealista; un montaje, además, en el cual se fundían la estética del *objeto encontrado* y la estética del *arte informal*. De aquella fusión, surgió la estética de *brutalismo*.

De acuerdo con David Robbins, puede atribuirse a Paolozzi la introducción del aspecto *brutalista* en la estética del *Independent Group*. Durante su estancia en París, Paolozzi había conocido a Dubuffet, Giacometti y Tzara, entre otros. Conoció la colección *Duchamp* de Mary Reynolds, incluyendo las paredes que Duchamp había cubierto con imágenes de revistas. También conoció las esculturas surrealistas de Giacometti, las técnicas de *collage*, el *arte informal* y el *art brut* de Jean Dubuffet.

Según Diane Kirpatrick, Paolozzi visitó, junto con su amigo William Turnbull, el Museo de l'Homme y la colección de *Art Brut* de Dubuffet. Con Turnbull, seleccionó y recortó imágenes de revistas, generalmente norteamericanas, con el fin de observar lo que ocurría cuando se juntaban. Fui a París, explicó Paolozzi en una entrevista para la BBC realizada en el año 1986, *porque sentía que era muy importante encontrarme con artistas verdaderos... Fui muy afortunado porque la mayoría, como Léger o Brancusi, estaban en la guía telefónica... Eran además accesibles y nunca tuve ningún problema para encontrarme con ellos, incluyendo a Jean Arp... Creo que Giacometti fue el más importante para mí.*

En el año 1985, en el catálogo de la exposición *Lost Magic Kingdoms*, cuyas obras seleccionó, escribió estas significativas historias.

*En la biblioteca pública de París, en una sección pequeña de arte moderno, encontré la edición original* (en inglés, de 1931) *del libro de Ozenfant "Foundations of Modern Art". Fue una revelación, pues muchas cosas que me interesaban aparecían juntas en el libro; cosas como coches, máquinas, viejos aeroplanos. Las ideas que allí aparecían eran de los años 20, supongo, cuando reinaba un gran optimismo acerca de la máquina y, por supuesto, cuando existía esa clase especial de sensibilidad tan francesa que gusta de agrupar cosas diferentes para contemplarlas unas junto a otras. Era ese tipo singular de experiencia cognitiva que permite a las personas mirar y asociar cosas diferentes en el mismo instante. Yo asociaba esto con París; con la sensibilidad francesa que permite reunir máscaras Dogón, esculturas Precolombinas y, por ejemplo, iglesias barrocas o maquinaria moderna. Éste era un tipo de sensibilidad que no existe en Inglaterra...* (Y detrás del libro de Ozenfant, quizás sin saberlo, se encontraba con el libro de Le Corbusier, en el cual el arquitecto comparaba los automóviles modernos con los templos clásicos griegos).

Paolozzi añadió: *Francia fue, y es, diferente. Entre los años 46 y 47, en París, también me encontré con el mundo primitivo. Tristan Tzara me invitó a comer en su casa. Vivía en un elegante apartamento blanco con grandes espejos. Allí había un collage de Picasso y alrededor, diversos objetos africanos cuidadosamente seleccionados... Por contraste, no existía ninguna casa en Londres que reflejara esa mezcla de elegancia, sensibilidad y pasión de coleccionista...*

*Desde luego, también visité el Musée de l'Homme: fue para mí una sorpresa encontrarme con todos aquellos objetos.*[12]

Para Paolozzi, toda la experiencia humana era simplemente un gran *collage*. El *collage* presentaba para él dos ventajas: *construye cosas que antes no existían y es una manera muy directa de trabajar*. La tensión que producían sus *collages*, a los que denominó *metáforas readymade*, debía ser capaz de transformar las simples cosas en *presencias*. Desde la perspectiva del *collage*, escribió Paolozzi, *el orden racional de un mundo tecnológico puede ser tan fascinante como un hechicero del Congo*. (*Uppercase* n° 1, 1958).

De vuelta en Londres, en el año 1952, organizó en el ICA para sus amigos una especie de espectáculo visual con recortes de revistas, postales, anuncios y diagramas diversos que fueron proyectados sin orden temático aparente mediante un proyector de opacos (epidiáscopo) que amenazaba con quemar todo lo que se ponía sobre él. En esta proyección, que Paolozzi denominó *BUNK*! aludiendo a una onomatopeya que aparecía en un *comic*, se reunieron por primera vez los miembros del *Independent Group*.

Sobre este espectáculo, William Turnbull escribió lo siguiente: *las revistas eran un modo increíble de introducir el azar en el pensamiento; una de las cosas que interesaban al IG era acabar con el pensamiento lógico: comida en una página, las pirámides en la siguiente, una chica guapa en la siguiente.... Eran como collages.*[13]

Un año después, en la exposición *Parallel of Life and Art*, Paolozzi volverá a insistir en destacar el valor de las cosas *tal y como* (éstas) *se encuentran*. Con el lema *tal y como se encuentran* (o *según se encuentran*, en inglés reducido a las palabras *as found*), los autores de la exposición sugerían que la forma artística, en lugar de ser el producto de un proceso consciente de diseño, debía ser (al igual que los montajes y *objetos encontrados* surrealistas) el producto de la intuición y la selección.

La estética del *as found* se puede entender de dos maneras complementarias. La primera, quizás la más evidente, es la manera surrealista. Ésta es la que permite relacionarla con la actividad del *bricoleur* (el cual se apaña con lo que tiene a mano, uniendo y relacionando cosas de diferente procedencia) y con los modos originales del pensamiento mítico-poético según fueron definidos por Lévi-Strauss. La segunda permite relacionar dicha estética con las obras del *arte informal,* pues en éstas la forma podía ser espontánea e intuitivamente *encontrada* (por el artista) durante el proceso de producción. Dubuffet y Pollock, entre otros, mostraban que la forma final no estaba prefigurada, sino que podía aparecer durante el proceso de ejecución.

Según la mirada retrospectiva de los Smithson, *la estética del según se encuentra, en arquitectura, era algo a lo que habíamos puesto nombre a principios de los 50 cuando conocimos a Nigel Henderson y vimos en sus fotografías un reconocimiento de la realidad alrededor de su casa en el barrio obrero de Bethnal Green: gráficos de juegos de niños en la calzada... trozos de saco o de malla, etc. ... era una nueva manera de ver lo ordinario... y con ella llegó la aversión por lo simulado. La estética del "según se encuentra" dio lugar la "estética del azar" de todos nuestros ideogramas, diagramas y teorías... que llevamos primero al CIAM 9 de Aix-en Provence, luego a La Sarraz y por último al CIAM 10 de Dubrovnik.*

En la exposición *Parallel*, el valor poético de las cosas podía ser *encontrado* en las formas ordinarias, pero también en los contrastes y *paralelos* (o analogías formales) entre las distintas imágenes así como en los significados que se desprendían de ellas. De este modo, el visitante podía encontrar en la exposición el *paisaje* que correspondía a su época.[14]

Las analogías y cruces de relaciones, sin embargo, no sólo configuraban los rasgos característicos del inicio de la edad del consumo, (como a veces se ha supuesto haciendo referencia al *pop art* de Hamilton o Paolozzi), sino también, y sobre todo, los rasgos estructurales de la *generación*, ya sea de los objetos naturales o de los artificiales.

Eduardo Paolozzi. *Dos estudios para escultura*, de 1946, y *"Take off"* (Despegue), *collage* realizado en 1950.

Las analogías y paralelos que proponía la exposición se pueden comparar con las analogías descubiertas en aquellos años por el estructuralismo antropológico. En paralelo con la exposición *Parallel*, el antropólogo Claude Lévi-Strauss analizaba los modos del pensamiento primitivo y llegaba a la conclusión de que dichos modos, fundamentados en analogías y comparables con los modos del *bricoleur* (en tanto dan siempre lugar a nuevos ordenamientos de elementos), pueden considerarse tan generalizadores y clasificadores como los modos propios del pensamiento científico. Y quizás no sea casual, sino estructural, que el *collage* fuera la representación más querida y utilizada por los responsables de la exposición: de acuerdo con Lévi-Strauss, *la boga intermitente de los collages, nacida en el momento en que el artesanado expiraba, podría no ser, por su parte, más que una transposición del bricolage al terreno de los fines contemplativos.*[15]

En la reseña dedicada por la revista *Architectural Review* a comentar la exposición, publicada en el mes de octubre, Reyner Banham insistió en la capacidad de la fotografía para descubrir nuevas realidades: *la realidad puede ser más extraña que la ficción, pero muchas de las revelaciones de la cámara fotográfica son más extrañas que la misma realidad*. Pero desconfiaba de las imágenes y de las experiencias de Henderson y Paolozzi. Advertía, por ejemplo, que no se debe confundir la riqueza de las imágenes fotográficas con la riqueza de las experiencias reales: *deberíamos reconocer que si la cámara ha aumentado nuestra riqueza visual, sólo somos más ricos en letras de crédito que muchas veces no se hacen efectivas*.

No obstante, comentó la posibilidad de que una fotografía cualquiera, después de varios pasos de reproducción, aparezca como una entidad autónoma y abstracta que se caracteriza sólo por la textura; dicha entidad, explicó en la reseña, podría ser interpretada como un símbolo o una obra de arte portadora de su propia verdad (*in its own right*) tan alejada de la simple reproducción de la realidad que podría ser vista boca abajo. (Banham se refería a los carteles de la exposición diseñados por Paolozzi).

Por último, señaló que la fotografía permite descubrir similitudes y analogías estructurales entre formas que no tienen ninguna relación entre sí, atreviéndose a destacar e ilustrar tres de ellas entre las fotografías de la exposición.

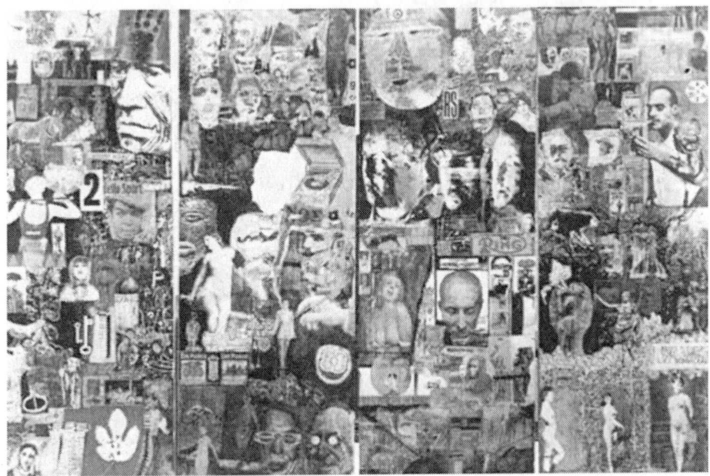

*Collages* realizados por Eduardo Paolozzi, en 1953, y por Nigel Henderson, en torno al año 60. En este último aparece de nuevo, arriba, la máscara esquimal de la exposición.

En primer lugar, destacó la analogía que apreciaba entre una máscara tallada por esquimales en hueso poroso de ballena (con el número 37 en la exposición y reproducida en la portada de la revista en color amarillo) y la sección muy ampliada de un tallo (con el número 73).

Fundamentó esta analogía en la simetría imperfecta que presentaban ambas imágenes, en el parecido del contorno, en la rugosidad, en la textura alveolar del interior y en las interrupciones lenticulares que aparecen en ellas.

En segundo lugar, señaló la analogía entre los hilillos chorreantes de la pintura de Pollock (nº 36 en la exposición) y las manchas de los huevos del pájaro bobo (nº 74) aunque, en este caso, la analogía podría aplicarse, además, a la fotografía por contacto realizada por Nigel Henderson de un espejo con el azogue desintegrado (nº 34) y al cuadro de Dubuffet titulado *Corp de dame*, (nº 33).

En tercer lugar, señaló la analogía entre el despiece de una máquina de escribir (nº 12) y un calendario medieval (nº 88).

Podrían señalarse otras analogías diferentes, por ejemplo, la que existe entre un dibujo de Klee compuesto por líneas que se cierran sobre sí mismas, (con el número 96), la estructura que presenta una microfotografía titulada *Proteus* (nº 45) y las huellas dactilares de una mano muy ampliada fotografiada por Henderson. Pero los autores de la exposición, más que analogías concretas, perseguían el *paisaje* que las analogías presentaban.

Los autores no pretendían tanto estimular el juego detectivesco de las analogías, como mostrar que las formas naturales y artificiales, ya sean técnicas, artesanales o artísticas, pueden compararse entre sí. Las consecuencias trascendentales de la comparación, sin embargo, no fueron contempladas.

El *Nuevo Paisaje* que descubría la exposición (escrito con mayúsculas por los Smithson) era el lugar donde el arte debía encontrarse de nuevo con la naturaleza y la técnica; un paisaje imaginario que iba desde el arte primitivo al arte informal y que conducía, cerrando el círculo de la recreación de las cosas, hacia las formas que espontáneamente crea la naturaleza.

Detalle de la fotografía de la exposición realizada por Nigel Henderson. Arriba, a la derecha, se ve la sección ampliada de un tallo que Banham comparó, ilustrándola al revés, con la máscara esquimal que se ve a la derecha. El huevo de pájaro bobo aparece arriba a la izquierda (n° 74); el cuadro de Dubuffet (n° 33), aparece abajo a la derecha.

La exposición debía mostrar el misterio del orden natural, pero no el orden abstracto de la geometría, sino un orden concreto y figurativo que admite transformaciones topológicas y puede interpretarse como textura. El complejo orden de las formas que se perciben como trazos y texturas era fundamental en la exposición, pues dicho orden se encontraba en las formas naturales y las artísticas.

El orden de los tejidos naturales vistos al microscopio, por ejemplo, no era muy diferente al orden del *arte informal*, al orden de muchas obras de Paolozzi y al orden que Henderson *encontraba* espontáneamente en las cosas ordinarias que fotografiaba en la calle: de las huellas y parches del asfalto, de las marcas e irregularidades de los enlosados, de las paredes desconchadas, de la textura de la madera vieja, etc.

Con este tipo de fotografías, que relacionaba con los experimentos con negativos, Henderson sentía compartir algunos aspectos del trabajo de artistas como Tapies, Burri y Jean Dubuffet.[16] Interesaban también, particularmente a Paolozzi, los órdenes configurados por patrones formales que se pueden interpretar como tejidos o texturas.

En aquellos años, Paolozzi y Henderson estaban muy interesados en introducir en la industria textil diseños nuevos de patrones abstractos. Desde que Paolozzi regresó a Londres en el año 1949, hasta el año 1955, enseñó diseño textil en el *Central School of Art and Design*. Al mismo tiempo experimentaba con las técnicas de serigrafía para trasladar a los tejidos sus diseños de patrones.[17]

Una consecuencia de aquel interés fue la exposición *Painting into Textiles* (Pintura sobre tejidos), que se inauguró tres días después de la clausura de *Parallel*... y en la cual colaboró activamente Paolozzi.

Según Paolozzi, el aumento de la sensibilidad entre la gente corriente hacia las telas y papeles pintados con patrones lineales y texturas abstractas se debía, en aquellos años, a la influencia de las obras de Ernst y Klee.[18]

En el paisaje de la exposición no destacaba el nuevo orden de la arquitectura. Pero los Smithson, que trabajaban para definirlo, encontraron en dicho paisaje un modo de aproximarse a lo real y, por lo tanto, al diseño arquitectónico.

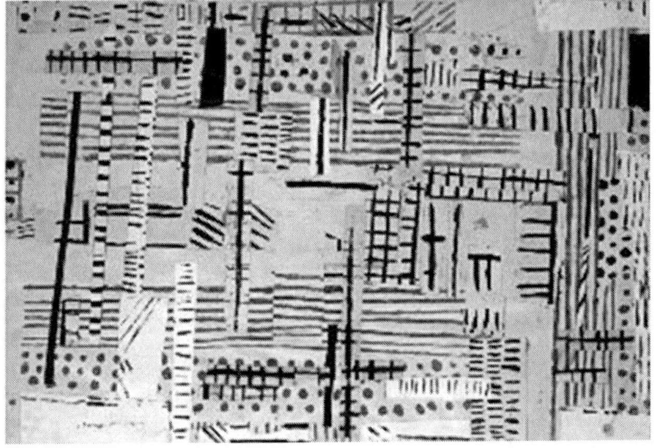

Eduardo Paolozzi. *Collages* con papel y acuarela. Ambos de 1951.

Las obras de sus amigos, de Paolozzi, Henderson, Hamilton y Turnbull, les sirvieron de referencia. Descubrieron que sus formas irregulares y pautadas, trasladadas a la arquitectura, podían permitir a los edificios crecer libremente, generar sus propios espacios y adecuarse a las condiciones del lugar.[19]

La formal escuela de Hunstanton, que los Smithson estaban terminando de construir en aquellos momentos, no era un buen ejemplo de ello. Pero los quiebros y ramificaciones de sus proyectos para Sheffield y Golden Lane, a los que se dedicaban en el momento de la exposición, cumplían los objetivos citados.

La supuesta *informalidad* de los quiebros de los edificios de los Smithson, finalmente, permitió a Banham conceder un sentido nuevo a la palabra *brutalismo*; un sentido que fundamentó tanto en el *arte informal* y el *art brut*, como en las imágenes que se presentaron en la exposición *Parallel*...

## El Hogar del brutalismo

*Pienso en cuadros elaborados con lodo original y monocromo, sin variaciones en el tono o los colores, ni tampoco en el brillo o la disposición, cuyo efecto procedería de los muchos tipos de signos, trazos e impresiones vitales que deja la mano cuando trabaja en bruto.*

Jean Dubuffet

La exposición *Parallel of Life and Art*, que en rigor debía haberse titulado "paralelo entre naturaleza y arte", merece ser considerada el *Hogar del brutalismo*. Y no sólo porque Banham la denominó *locus classicus* del *brutalismo*, sino también por referencia a la exposición montada por Dubuffet, 5 años antes en París, con el título *Foyer del'art brut* (El Salón del arte en bruto). El problema es que, a pesar de todo lo escrito sobre el *brutalismo*, existen muchas dudas sobre sus fundamentos.

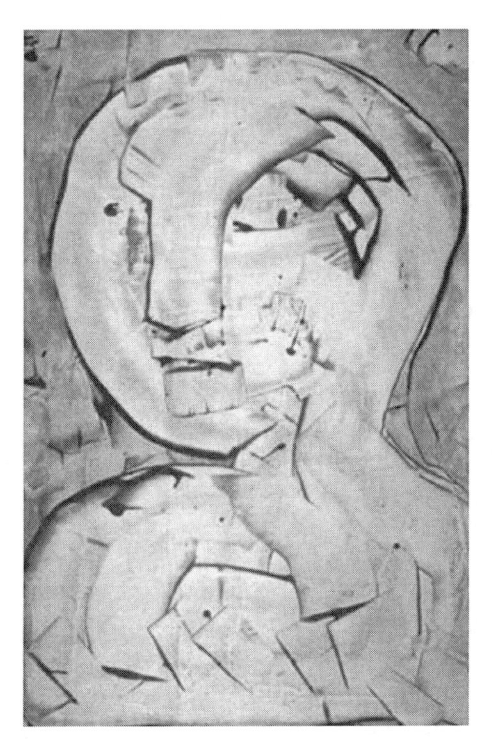

Paul Klee. *Err axel otel*. 1938 y Eduardo Paolozzi. *Head. 3*. 1953.

Fotografía de Nigel Henderson realizada en Bethnal Green Road, en Londres, entre los años 1949 y 1952, y Jean Dubuffet. *Gran paisaje negro*. 1946.

Sabemos que nació en Inglaterra, después de la Segunda Guerra Mundial, de la mano de los arquitectos Alison y Peter Smithson. También, que el crítico Reyner Banham se ocupó de promocionarlo, aunque con escasa fortuna. Las discusiones que se plantearon acerca de los rasgos que caracterizan la arquitectura *brutalista*, junto con lo extraño e inadecuado de dicha denominación, han contribuido a que el movimiento se considere un fenómeno de poca importancia, casi marginal, que no se entiende al margen de sus promotores, de su momento histórico y del lugar de donde surgió.[20]

Los fundamentos y la esencia del *brutalismo* siguen siendo confusos. Así, mientras la palabra *brutalismo* alude a la brutalidad, el *brutalismo* sigue refiriéndose a menudo a los aspectos superficiales de los edificios, entre los que destacan la exhibición de la estructura portante, de los materiales y las instalaciones.

Los orígenes del brutalismo, además, también resultan confusos.

Banham consideró que la escuela de Hunstanton, construida por los Smithson entre los años 1949 y 1954, fue el primer edificio del *Nuevo Brutalismo*. Pero este edificio es una gran caja regular y simétrica, *indudablemente miesiana*, construida con materiales vistos y elementos prefabricados.

Los Smithson escribieron lo siguiente sobre ella: *desde un punto de vista plástico, logra sus fines gracias a relaciones finitas, cerradas y simétricas*. Es evidente. Ahora bien, si la regular escuela de Hunstanton es *el suelo y la semilla del Nuevo Brutalismo*, como también afirmaron sus autores, resulta imposible definir cualquier relación estructural entre el *brutalismo* y el *art brut*.

Si se considera que la arquitectura *brutalista* se caracteriza exclusivamente por exponer en crudo los materiales y dejar la estructura portante a la vista, la relación entre la escuela de Hunstanton y el arte *informal* sólo puede ser superficial.

El *brutalismo*, en este caso, perdería todo contenido formal para quedar reducido a un movimiento ajeno al orden estructural de las cosas y preocupado exclusivamente por la apariencia y por el tratamiento de las superficies. Las dudas acerca de la consistencia del *brutalismo*, que fueron puestas de manifiesto por estudiosos tan relevantes como Summerson, estarían entonces justificadas.[21]

Tres años después de la exposición *Parallel of Life and Art*, Banham reconsideró su postura inicial y paso a contemplar la exposición como "*locus classicus* del *Nuevo Brutalismo*". *Al margen de la arquitectura*, escribió Banham, *el Nuevo Brutalismo describe el arte de Dubuffet, algunos aspectos de Jackson Pollock y de Appel y las pinturas-arpillera de Alberto Burri...* Los proyectos de los Smithson para Golden Lane y Sheffield, según él crítico, mostraban la nueva dirección del *brutalismo*.

Es evidente que los proyectos de los Smithson para Golden Lane y Sheffield presentan ciertas irregularidades que los alejan de la *miesiana* formalidad de la Escuela de Hunstanton. Pero resulta chocante la comparación que Banham realizó entre estos proyectos y el aformalismo (*aformalism*) que, según el crítico, *actúa como fuerza positiva en las obras de Burri y Pollock*.

Las fotografías que incluyó en su artículo para *Architectural Review* confirman lo chocante de la comparación. ¿Qué relación puede existir entre una pintura de Burri o Pollock y los proyectos para Sheffield y Golden Lane? Si somos sinceros la respuesta es sencilla: ninguna. Pero considerada metafóricamente esta relación puede justificarse recurriendo a la *topología*. Ya se ha indicado que el *sentido intuitivo de la topología*, según Banham, inspiraba a los Smithson.[22]

Banham pensaba que la topología ha ocupado un papel secundario en arquitectura porque el orden y la geometría, tanto en la arquitectura tradicional como en la moderna, impedían que jugara un papel más relevante. Banham consideraba que en los nuevos proyectos de los Smithson se invertía la situación, ocupando la topología el papel principal y la geometría el secundario.

Para él, la topología debía atender a la lógica de las circulaciones y las relaciones entre el interior y el exterior. Este punto de vista le situaba en una posición estructural cercana a la de Ricolais. Pero también pensaba, con cierta ingenuidad, que las relaciones estructurales de las que se ocupa la topología se caracterizan por no someterse a un esquema geométrico: según Banham, la formalidad de Hunstanton quedó descartada como aspecto del *brutalismo* cuando la exposición *Parallel of Life and Art* permitió a los *brutalistas* (?) definir sus relaciones con el mundo visual en términos ajenos a la geometría.

El *Nuevo Brutalismo*, justificado por la supuesta relación entre topología e irregularidad, requería de los edificios que fueran entidades *aformales* y que en dichas entidades se integrasen y unificasen (*como ocurre en los buenos edificios formales*, matizó Banham) los órdenes formal, funcional y estructural.

*Composición* puede parecer una palabra bastante fuerte para un diseño tan aparentemente casual como Sheffield, escribió, aclarando a continuación que también puede considerarse un edificio *conceptual*, en tanto consigue, a pesar de la irregularidad, una buena integración entre la forma, la función y la estructura.

Banham pensaba que el proyecto para la Universidad de Sheffield era el único que sostenía la amenaza *y la promesa de un paralelo entre la vida y el arte...* pero no creía probable que reemplazara a Hunstanton como primer ejemplo de Nuevo Brutalismo.

Al margen de predicciones, y aceptada la importancia que concedió Banham a la exposición como *locus classicus* del *brutalismo*, es posible comprobar que la esencia del *brutalismo* no se encuentra en la irregularidad o el aspecto exterior, tosco o crudo, de las cosas, sino en el orden de las analogías y en las formas complejas de las imágenes que se presentaron en la exposición. Éste era el orden de las formas naturales que se descubrían en aquellos momentos, pero también el orden del *arte informal*, de las pinturas textura de Dubuffet, Paolozzi y Henderson y, en última instancia, de las pinturas de Klee.

Es verdad que resulta muy fácil confundir la aspereza del *brut*, con la informalidad y la *fuerza bruta* de las (o los) bestias (*brute force*, en inglés). También que las palabras francesas *brute* (bruto, salvaje, bestial), *brutal* (con el mismo sentido que en los idiomas inglés y español) y *brutalité* (brutalidad, bestialidad, crueldad, ferocidad) pueden confundirse con *brut*. Pero los promotores del *art brut*, y después del *brutalismo*, no reclamaban un arte sin forma, bestial y salvaje, sino un arte áspero, crudo y vital, que fuera la respuesta a una sociedad que se consideraba civilizada, pero en la cual se acababa de consumar una

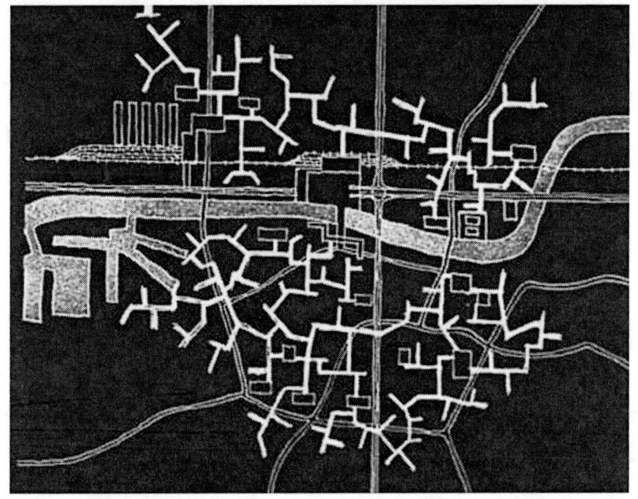

Alison y Peter Smithson. Montaje explicativo del proceso de construcción de Golden Lane, en Coventry, 1953, e idea de Golden Lane aplicada a una ciudad fabril.

verdadera orgía de brutalidad. El *art brut* no podía pretender la brutalidad, pues ésta abundaba en el mundo real y en el seno, además, de las sociedades supuestamente desarrolladas.[23]

El *art brut*, fue un movimiento artístico que apareció en la Francia de posguerra, vinculado al *arte informal* de Wols y Fautrier, con el fin de poner en cuestión, como antes hiciera el surrealismo, los fundamentos del arte y la cultura; lo prueba que el intransigente André Bretón se encontraba entre sus promotores.

El *art brut* fue presentado por Dubuffet en el año 1945 como un arte sin artistas que, por su crudeza y vitalidad, resultaba *preferible* al elaborado arte culto. Para Dubuffet, era una especie de arte-purga, un *anti-arte*, que podía considerarse *salvaje* en el sentido positivo de la palabra y no en el sentido despectivo que daban a la palabra los europeos que se consideraban civilizados pero eran capaces de realizar enormes masacres. El *art brut* pretendía ser, ante todo, un arte honesto y natural alejado del amaneramiento y los vicios del arte culto.

En febrero del año 1948, Dubuffet reunió un conjunto de obras marginales en el sótano de la galería Drouin de París y les concedió el significativo título de *Foyer de l'art brut*. Entre ellas había dibujos de enfermos mentales (*travaux d'alienés*), dibujos de personas sin formación y diversas obras, pintadas y esculpidas, producidas por artesanos primitivos.

La intención de Dubuffet era mostrar que todas aquellas obras podían ser más expresivas y conmovedoras que las obras de arte convencionales. Dubuffet, sin embargo, no fue el primero en proponer un arte descarnado y en bruto, pues las pinturas de Wols (que se expusieron por primera vez en la galería Drouin un año antes) ya presentaban los crudos rasgos del *art brut*.

Para entender el sentido original del *art brut*, y entender su relación con el *brutalismo* y el arte informal, merece la pena detenerse en el pensamiento y la obra de Jean Dubuffet.

Dubuffet fue un pintor *asfixiado por la cultura* que vio en las expresiones plásticas de los niños, los enfermos mentales, los primitivos y los marginados, un arte más vivo y profundo que el arte que realizaban los

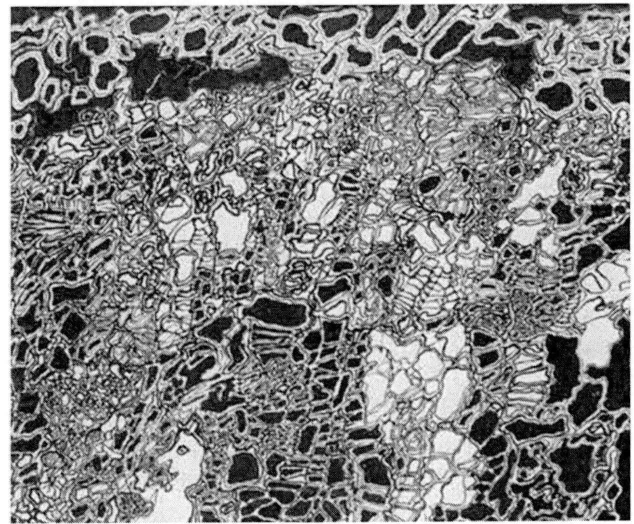

Nigel Henderson. *Collage*. 1949. Jean Dubuffet. *Radieux Météore*, 1952.

artistas. *Tengo mis dudas sobre la superioridad del erudito y el sofisticado sobre el humilde labrador*, escribió. Su objetivo era aproximarse con sus obras a la *espontaneidad ancestral de la mano humana al trazar signos*.

Interesado también en las cosas triviales que se encontraba en la calle, en los garabatos pintados por los niños, en los materiales sencillos y en las existencias banales de los seres humanos, los animales y las plantas, intentó expresar en sus pinturas la poesía contenida en ellas. Éstas son, a modo de ejemplo, algunas de sus ideas:

*El arte no viene a dormir en las camas que se le preparan... al arte le gusta lo desconocido. Los mejores momentos del arte acontecen cuando el arte se olvida de su nombre.*

*El arte en bruto es el realizado por las personas que son completamente ajenas a la cultura artística...*

*El arte debe proporcionarnos otra mirada, romper con lo acostumbrado, romper las certezas cotidianas... mostrar las vías a través de las cuales se pueden expresar las voces del hombre salvaje.*

Las obras reunidas en su *Foyer de l'art brut*, a pesar de la variedad, tenían algo en común: resultaban expresivas debido a las crudas deformaciones a que se sometían las figuras y debido a que todas ellas presentaban una fuerte materialidad que se traducía en una especie de textura irregular.

Dos órdenes estructurales se aprecian en aquellas obras: de un lado, el orden de los trazos, que se encontraba al servicio de la figuración y se imponía en los *travaux d'aliénés* y las pinturas de los primitivos; de otro, el orden de la textura, que se superponía necesariamente al anterior y se encontraba condicionado por la materia y la técnica de ejecución.

La superposición de trazos y textura que caracterizaba el *art brut* caracterizó buena parte de las obras de Dubuffet. Pero antes caracterizó algunas obras de Klee, a las que se deben, sin duda, las de Dubuffet. En las obras de Klee y Dubuffet, los órdenes del trazo y la textura suelen convivir, aunque a veces se confunden para dar lugar a una especie de tejido continuo que parece afectado por transformaciones topológicas.

Vista del *Foyer de L'art Brut*, organizado por Jean Dubuffet en 1948, en la galería René Drouin de París.

En lo que sigue se intentará mostrar que la conexión entre el *brutalismo* y el *art brut* es fundamentalmente estructural y se refiere a las estructuras citadas, esto es, tanto a las estructuras en las cuales se superponen los órdenes del trazo y la textura, como a las estructuras que admiten transformaciones topológicas.

## Estructuras celulares y ramificadas (cluster y twig)

*La heroica lucha del primer período de la arquitectura moderna... se encuentra tan próxima a nosotros que concede un sentido de responsabilidad moral al hecho de inventar para nosotros mismos unas formas adecuadas al período de posguerra; formas del mismo poder, aunque de un orden diferente a las del Purismo, el Constructivismo, de Stijl o el Futurismo: formas que respondan a las más complicadas e incluso confusas necesidades de nuestro tiempo.*

Alison y Peter Smithson

La relación entre los órdenes estructurales del trazo y la textura, el orden abierto de la forma, la utilización de patrones y la posibilidad de convertir el fondo vacío en una forma positiva, son las características que permiten relacionar los proyectos de los Smithson con la pintura de Klee, Pollock o Dubuffet y, de una manera inmediata, con las pinturas de Paolozzi y de Henderson.

Algunos dibujos realizados por Peter Smithson en los primeros años 50, por ejemplo, recuerdan poderosamente algunas obras de sus amigos. Son estructuras alveolares que admiten variaciones topológicas sin que su orden general se vea afectado.

En general, los dibujos abstractos que Peter Smithson realizó en aquellos años respondían a dos tipos de estructuras: las alveolares (celulares o arracimadas), compuestas por células redondeadas o rectangulares, y las lineales, bien en forma de peine, de cremallera o de rama.

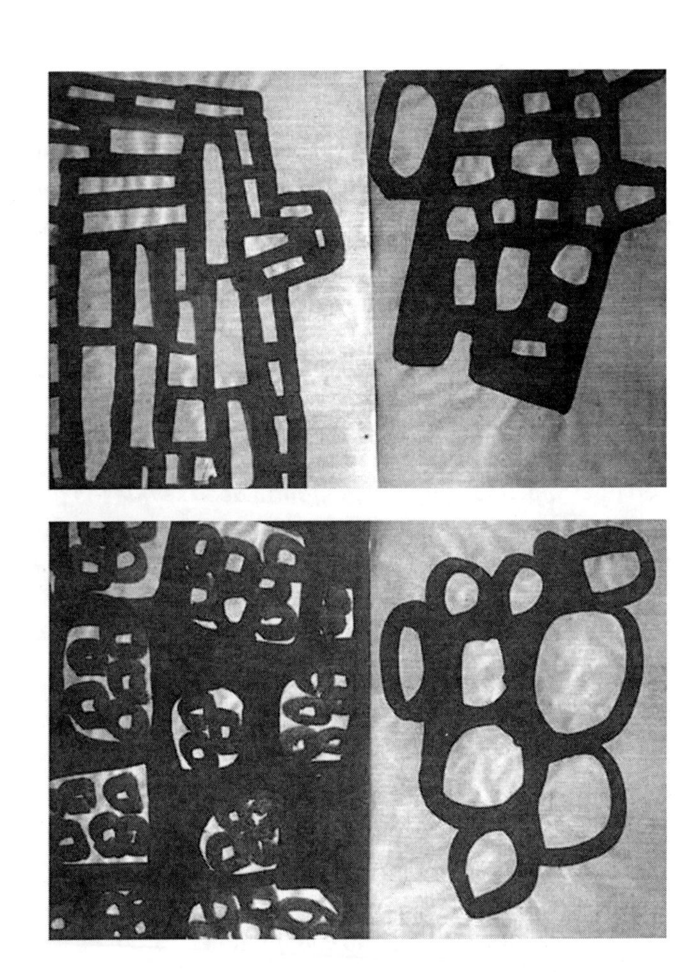

Dibujos a tinta, realizados por Peter Smithson en los primeros años 50, que muestran estructuras compuestas por células rectangulares y redondeadas topológicamente equivalentes.

El origen de las estructuras alveolares se encuentra en las pinturas abstractas que realizó Dubuffet alrededor del año 1952, así como en algunas fotografías y *collages* realizados por Henderson entre los años 1949 y 1952. Algunas fotografías presentadas en la exposición *Parallel of Life and Art*, por ejemplo, la sección del tallo que Banham comparó con la máscara de hueso esquimal, por ejemplo, presentan patrones celulares análogos.

El origen de las estructuras ramificadas, por su parte, se encuentran en algunas de las pinturas y dibujos que Klee realizó a finales de los años 30 y en las pinturas que realizó Paolozzi en los años anteriores a la exposición.

Refiriéndose a sus estructuras arracimadas y ramificadas, los Smithson escribieron lo siguiente: *podría decirse que los esquemas fueron inventados por Paul Klee*. Los esquemas de Klee, explicaron, expresan la capacidad de las formas para colaborar unidas *–como lo hacen las patas de un saltamontes–* a la vez que ponen de manifiesto que es posible producir nuevos órdenes de imágenes que resulten comprensibles.

Según Peter Smithson, *Klee inventaba las formas que componía y... considerando las influencias adecuadas y necesarias que se debían producir entre ellas, el orden de su disposición.* Éste era el orden *que permitía a la forma tomar posesión del vacío y a la vez cargarlo con la potencia que le respondía al nuevo espíritu...*[24]

El orden de las formas arracimadas y ramificadas, finalmente, se trasladó a la arquitectura. Según los Smithson, una vez que la idea (el orden de la disposición) se impone a la mente en forma de esquemas significativos y una vez que la mente reconoce en ellos principios o patrones de relación, de uso, de identidad y de movimiento, es posible aplicar la idea al edificio para hacerlo comprensible, para dejarlo abierto al cambio y para orientar y favorecer nuevos usos. Las transformaciones de los esquemas, en todos los casos, podían ser topológicas.

En contra de la segregación funcional (habitar, trabajar, recrearse y desplazarse) que propugnaba el Movimiento Moderno, los arquitectos del *Team 10*, entre los que se encontraban los Smithson, propusieron distintas alternativas formales caracterizadas por la presencia de patrones formales, por la irregularidad y por la posibilidad de un crecimiento libre y orgánico.

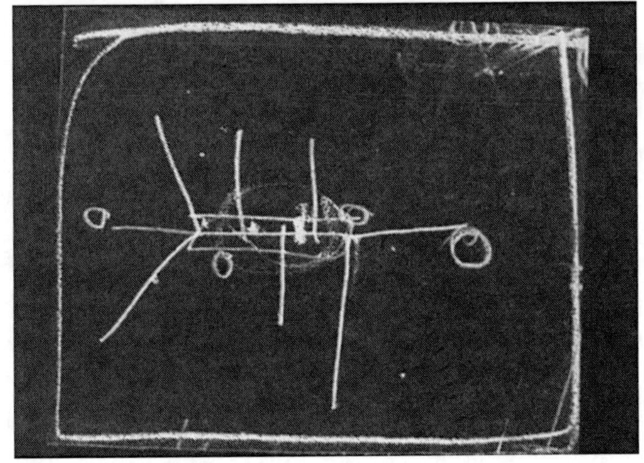

Paul Klee. *Bewachte Pflanze*, 1937, e ideograma de calle –unidad de distrito en forma de rama (*twig*)– realizado por Peter Smithson.

Los Smithson pensaban que, mientras la arquitectura y el urbanismo del Movimiento Moderno conceden sentido a las conexiones, la nueva debe conceder sentido a la continuidad: *el sentido de la continuidad reside en la transmisión de la energía del espíritu*, escribieron.

Partiendo de la necesidad de dar un sentido a la continuidad, concibieron las nociones topológicas de *racimo* (*cluster*), *identidad* (*identity*) y *patrones de asociación* (*patterns of association*). La primera, en general, se refería a las estructuras libres, ramificadas o alveolares, la segunda, a la idea de unidad en la diversidad que producían dichas estructuras, y la tercera, al tipo de unidad formal de la estructura y al modo de crecimiento.

La contribución de los Smithson fue recogida en un folleto de pequeño formato publicado el año 1960 con el título *Uppercase*. En él defendieron, frente a las ideas de ciudad jardín y arquitectura racional, la necesidad de una nueva arquitectura y un nuevo urbanismo que, basados en la trama de la vida misma, fueran capaces de representar *la complejidad de nuestro modo de pensar y nuestra pasión por el mundo natural*.

Allí también defendieron la utilización de estructuras flexibles, de aspecto orgánico (arracimado o ramificado), para expresar la complejidad del mundo contemporáneo y resolver las necesidades de la nueva sociedad: *hemos de crear una arquitectura y un urbanismo que* (mediante la forma) *haga significativo el cambio, el crecimiento, la fluidez y la vitalidad de la comunidad*.

Denominaron *cluster* a su nueva idea de orden, palabra comodín que quería significar aproximadamente lo siguiente: compleja y abierta organización celular, en forma de rama (*twig*) o racimo, ordenada de acuerdo con un patrón determinado.

Según los Smithson, la palabra *cluster* fue introducida por primera vez en 1956, en el CIAM X de Dubrovnik, para significar un modelo específico de asociación; un modelo libre pero sistemático, capaz de reemplazar conceptos como *casa, calle, distrito y ciudad* (entendidos como subdivisiones de la comunidad), y conceptos como *manzana pueblo y ciudad* (entendidos como entidades de grupo). El *cluster*, según ellos, era una agrupación ordenada, dinámica y coherente, que no tiene un centro sino muchos, y que puede crecer libremente.

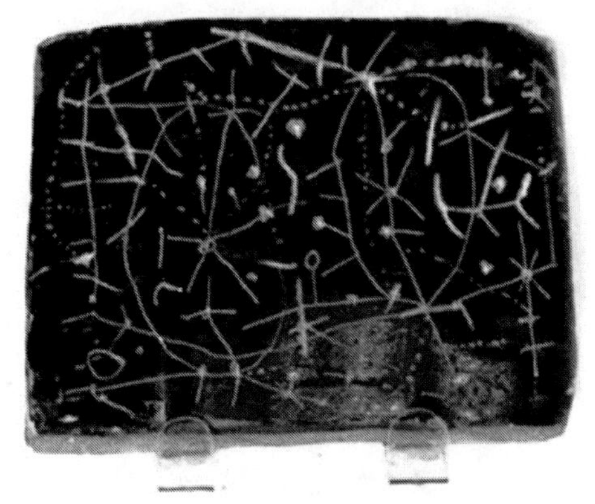

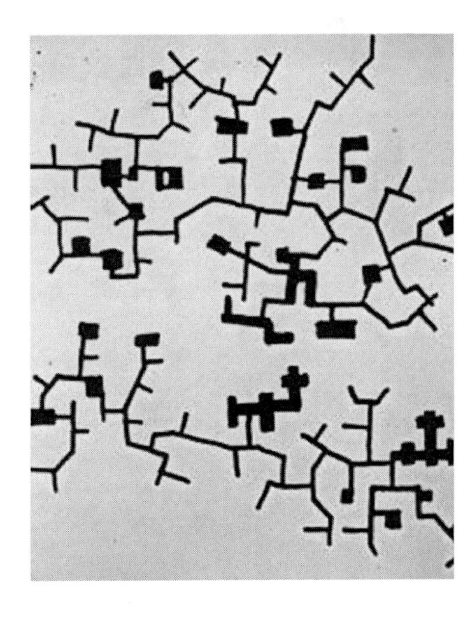

Paul Klee. *Berglandsschaft*, 1938.

Eduardo Paolozzi. *Teja de grafito*, 1953.

Alison Smithson. *Diagrama del desarrollo de una ciudad pequeña* (*cluster city*), 1953.

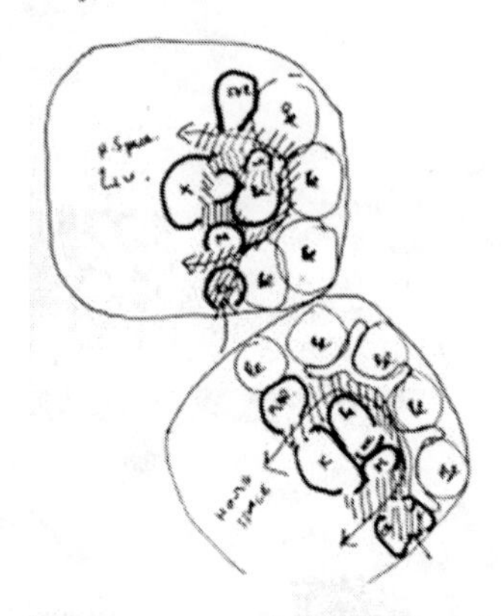

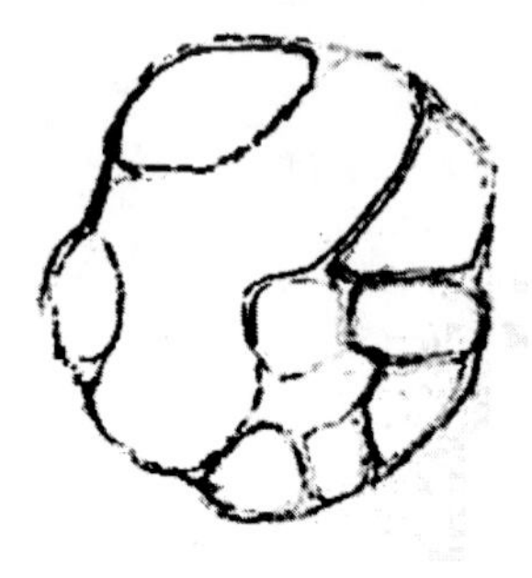

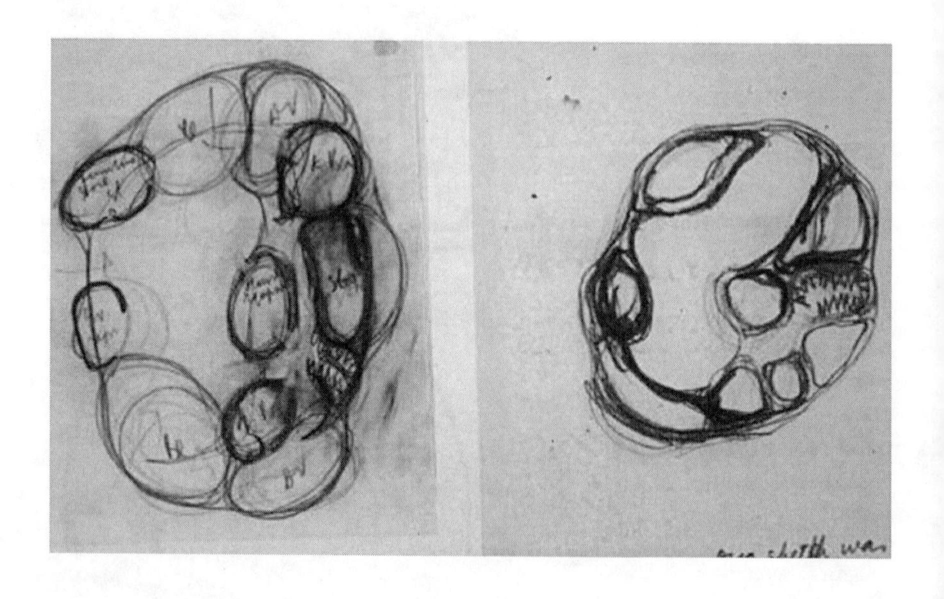

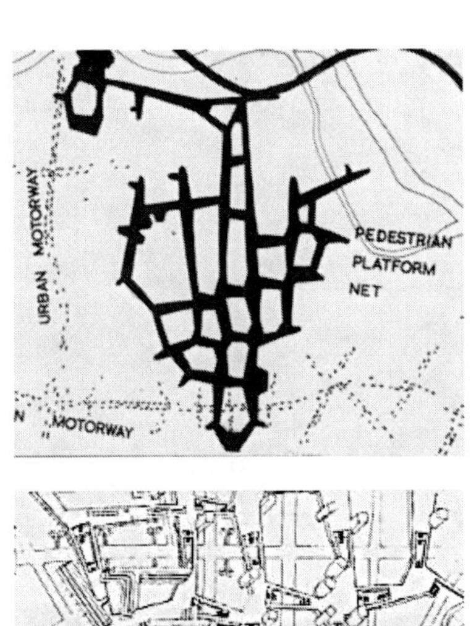


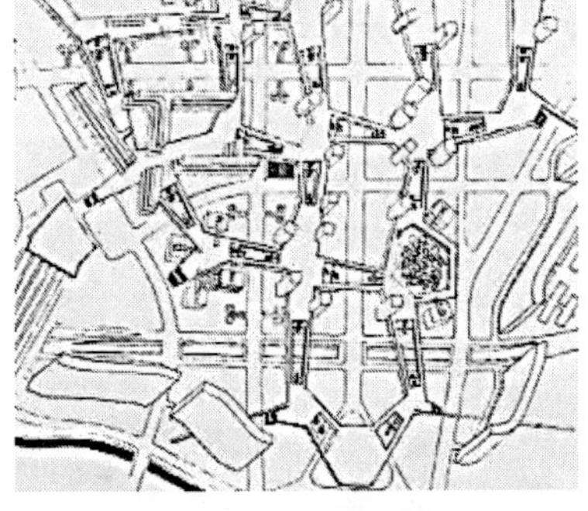

Arriba: Alison Smithson. Croquis para *Snowball house*, fechados en 1956 y noviembre de 1951. Debajo: estructura peatonal elevada diseñada por Alison y Peter para un concurso de reconstrucción de Berlín celebrado en el año 1958. (Recibieron el tercer premio)

Paul Klee. *Tannen auf Felsen*, 1938, y aguada de Peter Smithson realizada en los primeros años 50.

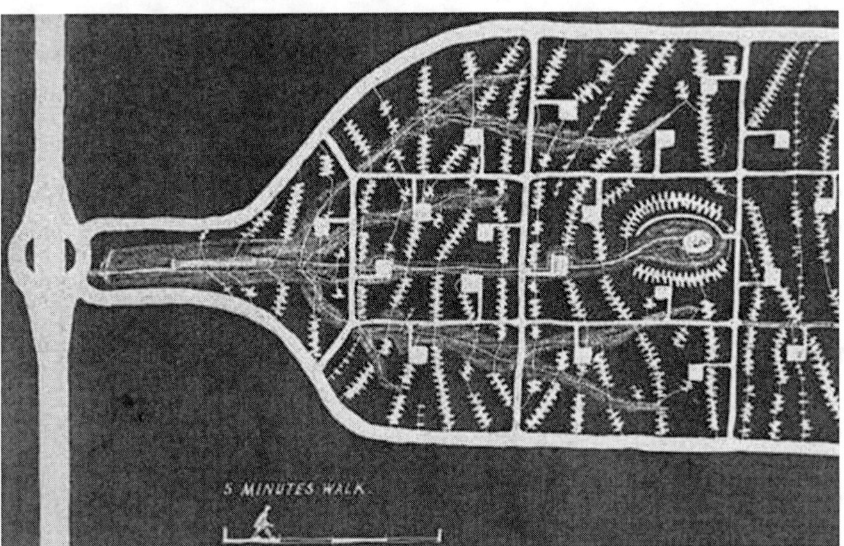


Alison Smithson. Diagrama de cluster y estructuras en cremallera, de 1955, y diagrama en forma de botella para la urbanización *"Close houses"*, 1954-55. Lane, en Coventry, 1953, e idea de Golden Lane aplicada a una ciudad fabril.

En el año 1967 escribieron: *Los edificios deberían ser concebidos desde el principio como fragmentos con la capacidad de interactuar con otros edificios de acuerdo con un sistema de relaciones. El único modo posible de ordenar la ciudad es desarrollar un sentido de estructura. Cuando este sentido de la estructura no existe, la imposición de una estructura determinada no puede ayudar a resolver los problemas.*

El *cluster*, en definitiva, debía ser la expresión de un nuevo orden de relaciones, significativo y complejo, aplicable a todos los aspectos de la vida, incluidos el arte, la arquitectura, el urbanismo y la técnica.

*Nuestra tesis sostiene que para cada forma de asociación existe un modelo inherente de edificio.* (*Urban Structuring,* 1967). Un poco antes, en 1964, habían explicado que el objetivo de la arquitectura y el urbanismo es la producción de obras de arte en las que se pueda vivir (*The Ordinary and the Banal*).

Al igual que ocurría en las obras de Klee, la configuración de los vacíos debía jugar un papel fundamental a la hora de relacionar entre sí los elementos y a la hora de dar sentido a la continuidad de los espacios (urbanos y arquitectónicos). Las observaciones de Ricolais acerca la relación entre arquitectura y topología, así como las relativas al papel esencial que los vacíos juegan en la resistencia de las estructuras óseas confirman, desde un punto de vista estructural, la validez de las analogías.

Es posible detectar numerosas analogías entre el orden de los dibujos de los Smithson y el orden de sus proyectos.

El proyecto para la reconstrucción de Berlín, que realizaron en el año 1958 y que recibió el tercer premio del concurso, resulta de la transformación topológica de una aguada de Peter compuesta por células rectangulares. Y ésta, a su vez, remite a un *collage* realizado por Henderson en el año 1949.

La casa *Snowball*, proyectada por Alison en el año 1951 y replanteada en 1956, así como la zona denominada *Baños de Pamukale* en el proyecto para el parque de la Villette en París, remiten a otra aguada de Peter compuesta con células circulares. Estas estructuras celulares, además, recuerdan las formas de los radiolarios estudiadas por Haeckel.

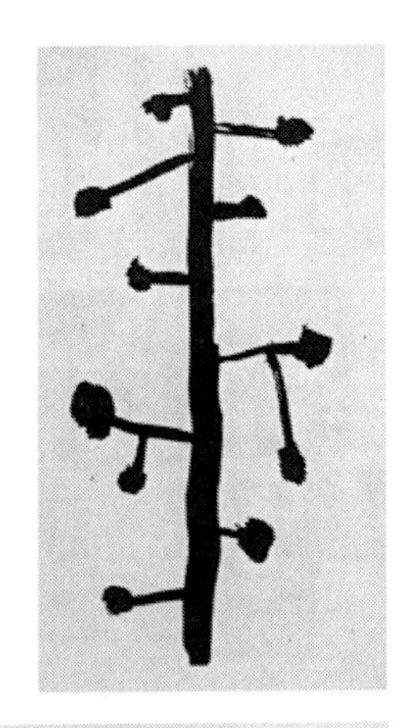

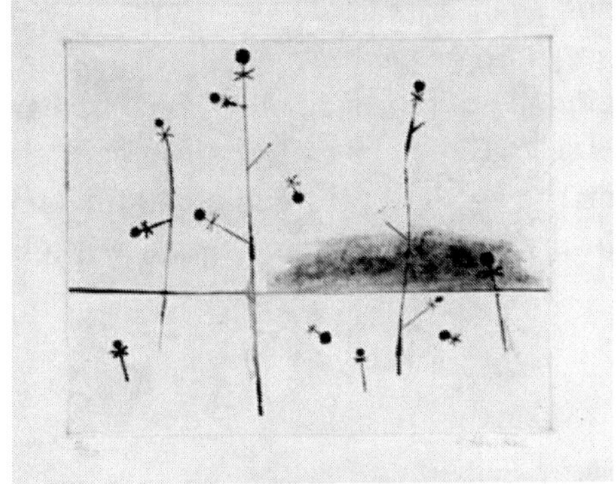

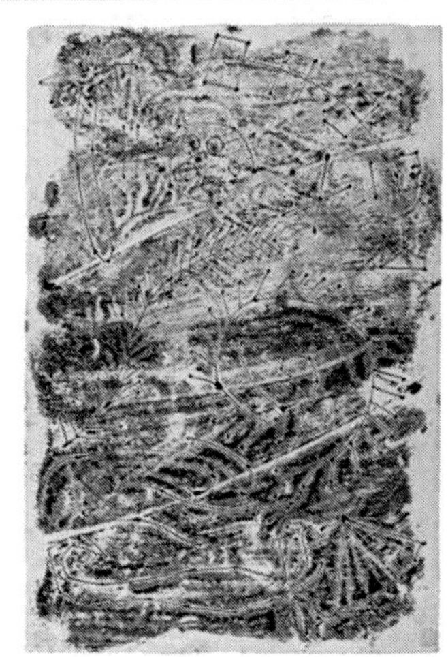

Alison Smithson. Ideograma de cluster para las *Fold houses* (casas enganchadas: *"nuevas frutas en viejas ramas"* añadidas a un poblado existente).

Richard Hamilton. *Microcosmos: Plant Cycle*. 1950.

William Turnbull. *Seaforms*. 1949.

Las agrupaciones de viviendas unifamiliares realizadas por los Smithson entre los años 1954 y 1955, las *close houses* y las *fold houses*, presentan semejanzas significativas con las estructuras lineales en forma de rama, peine y cremallera pintadas a la aguada por Peter. Pero también con los diseños de Paolozzi para tejidos y con algunas obras anteriores de Klee.

Las estructuras ramificadas, además, habían aparecido en las pinturas de otros componentes del *Independent Group*, como Richard Hamilton y Willian Turnbull, realizadas en el momento en que ambos se interesaban por la forma y el crecimiento de los organismos.

También es posible encontrar analogías entre proyectos de los Smithson y pinturas de otros artistas. Por ejemplo, la que existe entre el proyecto de *casa ideal*, que realizaron como prototipo en el año 1956, y algunas pinturas de Miró. Pero no haríamos nada más que confirmar que las relaciones y transformaciones topológicas tienen un fundamento estructural y que dicho fundamento se encuentra tanto en las formas naturales como en las artificiales.

Árbol es hoja
y hoja es árbol
–casa es ciudad y ciudad es
casa– un árbol es un árbol, pero
es además una gran hoja – una hoja
es una hoja, pero es además un pequeño
árbol– una ciudad no es una ciudad
a menos que sea también una gran
casa – una casa es sólo una casa
si es también una pequeña
ciudad

escribió Aldo van Eyck.

La ciudad no es un árbol, pensaba Christopher Alexander. Aunque podría ser una estructura irregular comparable, tanto a las estructuras del arte informal, como a las formas de los asentamientos humanos no planificados, es decir, un sistema complejo y unitario, sujeto a pautas o patrones, que permita la resolución de las singularidades mediante transformaciones topológicas.

Las analogías entre las formas naturales y las artificiales, consideradas desde un punto de vista estructural, muestran la posibilidad de recurrir a sistemas generadores complejos capaces de conciliar lo general con lo particular, el orden con la irregularidad, para construir un mundo más habitable.

Aldea de Marruecos vista desde un satélite.

Tombouctou visto desde un satélite.

## NOTAS

[1] La topología apareció en el siglo XVIII con el nombre de *analysis situs* o análisis de la posición (Poincaré). Hasta bien entrado el siglo XIX no se la denominó *topología*. Según Euler, fue Leibniz quien determinó que, además de las ramas de la matemática que tratan de las dimensiones y las cantidades (el algebra, la geometría y la teoría de los números), es posible definir otra rama que se ocupe exclusivamente de la posición y de las propiedades relacionadas con ella. La topología considera que dos figuras son equivalentes cuando tienen el mismo número de trozos, agujeros, intersecciones, etc. Cuando esto ocurre se tienen homeomorfismos: homologías y homotopías, según las definió Poincaré. Partiendo de los tipos de relaciones la topología obtiene un orden taxonómico, pues el fin último de la topología, como el de toda ciencia, es la clasificación.

[2] Véase *El arte de construir agujeros: reflexiones en torno a Robert le Ricolais*. Antonio Juárez. CIRCO MRT. Ed. Mansilla, Rojo y Tuñón. 1996. También puede verse su ensayo *Geometría y topología en Kahn* en la revista *Arquitectos*, nº 149.

[3] Los estudios de Haeckel tenían por objeto el conocimiento del orden y la evolución de las estructuras de los seres vivos. Haeckel postuló un origen inorgánico de los mismos en función de las analogías formales que encontró entre las estructuras de los seres marinos más simples y otras estructuras inorgánicas. El principio teórico de Haeckel era que la naturaleza es capaz de variar sus modelos a pesar de encontrarse sujeta a la ley. Éste es el principio que permite relacionar sus estudios, tanto con las anteriores teorías idealistas de Goethe acerca de las metamorfosis de las plantas, como con las teorías matemáticas posteriores relativas a las estructuras fractales y en las cuales el orden de mantiene con independencia de la escala que se considere.
Según Goethe, *si sólo nos fijamos en lo regulado, llegamos a pensar que necesariamente tiene que ser así, que las cosas se hallan determinadas así desde siempre y son, por tanto, estacionarias. Pero si nos fijamos en las desviaciones, las deformaciones y las formas torcidas y monstruosas, nos damos cuenta de que, aunque la regla sea fija y eterna, es, al mismo tiempo, una regla viva; nos damos cuenta de que los seres pueden transformarse hasta lo informe, no por obra de la regla, ciertamente, pero sí dentro de ella y que, en todo caso, no tienen más remedio que reconocer, aunque sea a su pesar, el imperio inexorable de la ley.*
Véase *Teoría de la naturaleza:* Johann Wolfgang von Goethe. Ed. Tecnos. 1997. Nota 67, pág. 137.
Las láminas del libro de Haeckel *Kunstformen der Natur* (Formas artísticas de la naturaleza), publicado en el año 1899, son todavía una valiosa fuente de información para entender el orden y la evolución de las formas naturales.

[4] Michele Emmer: *Mathland: From Flatland to Hypersurfaces*. Birkhäuser 2004. Ed. original: *Mathlandia*. Turín, 2004. (El País de las matemáticas: desde el País de las superficies planas hacia las hipersuperficies).

[5] Pueden verse los libros de Jorge Wagensberg: *Ideas sobre la complejidad del mundo*, Tusquets Ed. 1985, y *La rebelión de las formas*, Tusquets Ed. 2004.
Las formas evolucionan hacia estados de complejidad creciente, según Wagensberg, porque la naturaleza huye del equilibrio al que la somete la ley. Es entonces cuando el azar interviene, produciendo el orden de las fluctuaciones que aporta las novedades necesarias para el cambio.
Frente a la tesis determinista que sostiene que el azar que percibimos en la naturaleza es sólo el producto de nuestra ignorancia (pues todo en ella esta sujeto a la ley), Wagensberg sostiene que el azar es un derecho propio de la naturaleza. Las investigaciones realizadas por eminentes biólogos, como Jacques Monod *(El azar y la necesidad)* y Francois Jacob *(La lógica de lo viviente)* confirman esta interpretación.
Wagensberg, además, se esfuerza por entender los procesos artificiales de acuerdo con los mismos principios de orden complejo e indeterminación que encuentra en los procesos naturales: *la cosmología moderna nos muestra una historia del universo en la privilegiada dirección de la complejidad creciente y que las complejidades de la física, la química, la biología, la sociología, el arte o la cultura, presentan componentes decisivos de aleatoriedad e irreversibilidad* (que pueden ser comparados, cabría añadir).

[6] Eduardo Paolozzi y Nigel Henderson fueron el alma y motor de la exposición *Parallel of Life and Art*. Los Smithson les acompañaron en el empeño compartiendo sus intereses. Ronald Jenkins, que trabajaba con los Smithson en la escuela de Hunstanton, avaló económicamente la exposición. (En el año 1952, los Smithson diseñaron la oficina de Jenkins en Ove Arup and Partners, cuyo techo fue empapelado con los enmarañados dibujos de Paolozzi).
Paolozzi, que hoy es reconocido, junto con Richard Hamilton, como fundador del *pop art*, paso una temporada en París llegando a entablar muy buena relación con Giacometti, Tzara y Dubuffet. Sus primeras esculturas estuvieron muy influidas por las obras surrealistas de Giacometti.
Paolozzi se encontraba en París cuando, en el año 1948, Dubuffet organizó la exposición *Foyer de l'art brut*. Las obras que realizó a su vuelta a Inglaterra fueron el detonante de la fundación del *Independent Group* y expresan la deuda que Paolozzi adquirió con el surrealismo y el *arte informal*.
Nigel Henderson fue también miembro fundador del *Independent Group*, en 1952, así como del movimiento autodenominado *as found*. Conocido por sus fotografías y *collages*, sentía una especial atracción por las imágenes de la biología, las secciones de animales o plantas, la forma de los organismos, las vistas al microscopio y las radiografías, siempre a la búsqueda de analogías visibles entre el mundo natural y el artificial. En el año 1948, descubrió, gracias a Paolozzi, un tipo de imágenes que denominó *hendogramas*, y que obtenía introduciendo objetos semitransparentes en la ampliadora, en el lugar del negativo.

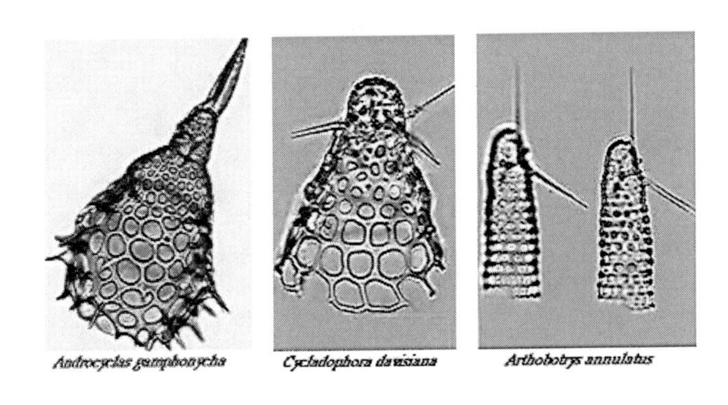


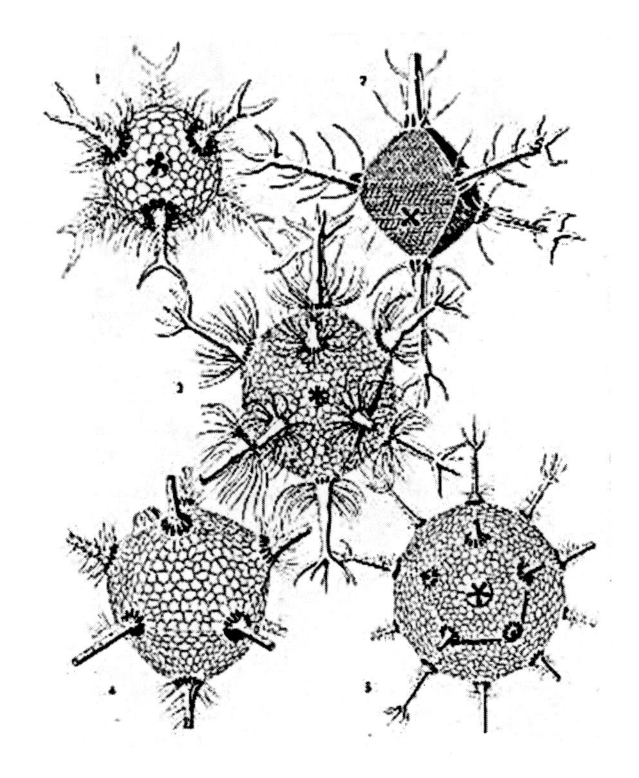

Radiolarios vistos al microscopio y dibujos en el libro de Haeckel.

[7] La atracción por las formas de la biología era compartida por todos los miembros del *Independent Group*. Richard Hamilton, basándose en el influyente libro de D'Arcy Thompson *On Growth and Form*, publicado en 1917, realizó en 1951 la exposición *Growth and Form* para el ICA. Preparada en principio por Henderson, Paolozzi y Hamilton, fue desarrollada en solitario por Hamilton y presentada en su conjunto como una obra de arte en la cual las fotografías de estructuras moleculares y microscópicas dirigían al espectador hacia un mundo de imágenes abstractas que se ajustaban a una lógica de crecimiento determinada. De la exposición *Crecimiento y Forma* se ha escrito que Le Corbusier, durante la inauguración, dijo en público lo siguiente: *me ha emocionado muy profundamente... he encontrado en ella una unidad de pensamiento que me ha proporcionado mucho placer* (Graham Whitham).
El montaje de la exposición de Hamilton merece ser considerado, sin duda, el antecedente inmediato de la exposición *Parallel*.
Para ampliar la información sobre el *Independent Group* y las exposiciones del ICA puede verse el catálogo de la exposición celebrada en el ICA, en 1990, con el título *El Independent Group: la postguerra británica y la estética de la abundancia*. Ed. IVAM. 1990. (Ed. orig. David Robbins: *Independent Group: Postwar Britain and the Aesthetics of Plenty*).

[8] Un año antes de la exposición *Parallel of Life and Art*, en 1952, el crítico Michel Tapié organizó en París (en la galería Facchetti) una exposición titulada *Une art autre* (Un arte otro). En noviembre de ese mismo año, publicó un libro con el mismo título, que ilustró con obras de Dubuffet, Pollock, Fautrier, Mathieu y Paolozzi, entre otros. Introdujo en él, además, las obras de Pierre Soulages y Sam Francis. El término *arte informal*, sin embargo, procede de Georges Mathieu, quien en el año 1951 utilizó la palabra *informel* para referirse a las pinturas que se generan espontáneamente en el acto de pintar para así convertirse en un signo puro.
Tapié retomó la palabra *informal* para usarla en el título de la exposición *Significans de l'informel*, que organizó en París en noviembre del mismo año. Con ella quería aludir a la pintura que destacaba la materia pictórica *en bruto* y donde la composición tradicional se sustituía por fuertes texturas y orgánicos patrones estructurales.
Según Diane Kirpatrick, el efecto de conjunto de la exposición *Parallel...* se relacionaba con la experiencia que se tiene al contemplar el *Art Informel* o un cuadro expresionista abstracto de Jackson Pollock o Sam Francis.
Entre los años 1948 y 1950, pudieron verse varios cuadros de Pollock en la galería Facchetti de París. Anteriormente, en enero, en otra exposición del ICA, titulada *Opposing Forces*, se presentaron obras de Pollock, Francis y los pintores *informalistas* Henri Michaux y George Mathieu. Según Kirpatrick, las pinturas de estos artistas tienen texturas visuales intrincadas que comparten con las *Texturologías* de Dubuffet el interés por las formas naturales que los científicos han estudiado recientemente con el título de *Teoría del Caos*. Véase *El Independent Group*. Op. cit. Pág. 209.

Paolozzi con su mujer Freda, y Nigel Henderson sobre un fondo compuesto por los diseños de Paolozzi para textiles. C. 1952. (Fotos de Henderson).

Para contextualizar el desarrollo del arte informal, pueden consultarse *El arte del siglo XX*, capítulo dedicado a la pintura escrito por Karl Ruhrberg (Ed. Taschen, 2001) y la obra *Historia del arte abstracto, 1900-1960* de Cor Blok (Ed. Cátedra, 1992).

[9] La relación de fotografías de la exposición *Parallel of Life and Art,* de acuerdo con el catálogo, es la siguiente.
Bajo el título *Anatomía*, y con los números del 1 al 14, se encuentran las siguientes imágenes: un reloj, dos válvulas de una radio de 1936, la parte baja de una carcasa de un televisor, la disección de una rana, secciones de un árbol, dos anatomías humanas de 1298 y 1399, un dibujo sobre corteza que representa un aborigen lanceando a un canguro, una locomotora, secciones y partes de un insecto, un ácaro hembra muy ampliado, la microfotografía de un divertículo de colon, el despiece de una máquina de escribir, una vista microscópica de madera de conífera y la radiografía de un Jeep Willy.
Bajo el título *Arquitectura*, con los números del 15 al 27, aparecen: dos fotos del edificio de Le Corbusier, L'Arme de Salut, el edificio de la ONU, el templo de Neptuno en Paestum, parte del trazado residencial de la ciudad de Pompeya, una vista aérea de la ciudad asiria de Erbil (o Arbela), una foto de varios rascacielos, el detalle de una máscara de Quetzalcoatl, unas cocheras de autobuses en Dublín, un asentamiento esquimal en King Island (Alaska), una imagen de Machu Picchu, un templo de los adoradores del sol y, con el número 27, una ilustración de diferentes tipos de tejido celular vegetal.
Bajo el título *Arte*, con los números del 28 al 39, aparecen las citadas en el texto.
Bajo el título *Caligrafía*, con los números del 40 al 47, aparecen: figuras de hombres, animales, objetos animados y símbolos encontrados en California, Arizona y las Bahamas, un cuadro de Paul Klee pintado en 1909, signos de escritura japonesa, una columna japonesa contemporánea, una vista aérea de patrones formales producidos por el barro, una microfotografía (denominada *Proteus*) de líneas curvas cóncavo-convexas, una fotografía al microscopio electrónico de una aleación de hierro, níquel y cromo y, con el número 47, un campo arado visto desde el aire.
Bajo el título *Fechadas en 1901*, con los números del 48 al 51, una acuarela de Kandinsky, un avión de tres alas, una vista de Viller-sur-Mer y, con el número 51, una fotografía realizada en un gimnasio norteamericano, en 1910, donde aparecen varias mujeres en las posturas más variopintas.
Bajo el título *Paisaje*, con los números del 52 al 63, aparecen; una hoja de papel que simula las vetas mármol, una foto de unos posos de café realizada por Nigel Henderson, una foto muy ampliada de los surcos de una mano realizada también por Henderson, una concha de molusco, la tala de un bosque en Japón, un pez fósil, un diagrama geológico, una microfotografía de escamas de grafito, una microfotografía de un papiloma celular escamoso, grandes pliegues geológicos, un zigurat y, con el número 63, un incendio forestal en California.
Bajo el título *Movimiento*, con los números del 64 al 70, aparecen, el Diluvio dibujado por Leonardo da Vinci, cuatro instantes del vuelo de la paloma, una foto de alta velocidad

Jackson Pollock. *Guardianes del secreto*. 1943.

titulada *Lucha por el premio*, la orla de un proyectil cilíndrico, la entrada vertical de un misil en el agua, un impacto obtenido con rayos X de alta velocidad y un ciclista del año 1888.
Bajo el título *Naturaleza*, con los números del 71 al 78, aparecen: especímenes de *ventriculitus radiatus* del interior del yeso, un erizo de mar, la sección transversal de un tallo, huevos de pájaro bobo con dibujos irregulares, un ácaro hembra (repetida), una microfotografía del tórax abierto de un embrión de rata, una vista del granito expuesto a la intemperie y un cráter (de una milla de ancho) visto con ojo de pez.
Bajo el título *Primitivo*, con los números del 79 al 83, aparecen las citadas en el texto.
Bajo el título *Escala de hombre*, con los números del 84 al 93, aparecen: una locomotora, niños jugando, una momia egipcia, el vuelo de Henri Farman realizado en 1908, un calendario medieval, una playa de piedras, una vista aérea de una plantación de naranjos, una foto con rayos X de un hombre afeitándose con una maquinilla eléctrica (tomada del libro de Moholy-Nagy), un piloto de avión a reacción con su máscara y, con el número 93, una imagen titulada *"2,000 gns. classic"*.
Bajo el título *Tensión*, con los números del 94 al 106, aparecen: un barco de vapor (Jim Wood) encallado y doblado, papel con aspecto de mármol (repetido), un dibujo de Paul Klee, un fotograma victoriano deformado fotografiado por Henderson, el cuadro *Los bañistas* de Picasso, tensiones producidas por una carga explosiva, microfotografía de las células de un tumor benigno, una línea costera con irregularidades producidas por calizas y esquistos, la vista aérea de un banco de fango con apariencia acolchada, aleación de hierro, níquel y cromo vista al microscopio electrónico (repetida), una exposición de una millonésima de segundo titulada *Moment of Klick*, un análisis de la tensión que se produce en un asiento de ferrocarril y, con el número 106, la foto *finish* de la final de 100 metros femeninos en los juegos de Helsinki de 1952.
Bajo el título *Estructura tensión*, con los números del 107 al 116, aparecen: una hoja de vid, una obra de Paolozzi *(Plaster blocks)*, de 1952, fotografiada por Henderson, un dibujo de Paul Klee de 1928, un cráneo de foca visto desde abajo y de lado, una microfotografía de una aleación de acero, unos efectos producidos sobre película de poliviniltolueno, estrías de tensión de molibdenum sometido a tensión, la sección de un bocio nodular, la estructura fluida y tortuosa producida por un ácido y, con el número 116, una microfotografía de partículas grandes de hierro.
Por último, bajo los títulos *fútbol, ciencia ficción, medicina, geología, metal* y *cerámica*, añadidas al final, aparecen, con los números del 117 al 122, una imagen tomada del periódico, la representación de una guerra interplanetaria, la sección de un pulmón congestionado, unas arenas y gravas glaciares de superficie irregular, la fotografía con microscopio de una aleación de hierro, níquel y cromo, citada por tercera vez y, para finalizar la relación, un plato con dibujos sinuosos fabricado en Staffordshire en el siglo XVIII. Para completar la información véase el libro *As Found. The Discovery of the Ordinary.* Ed. Claude Lichtenstein & Thomas Schregenberger. Lars Müller Publishers. 2001.

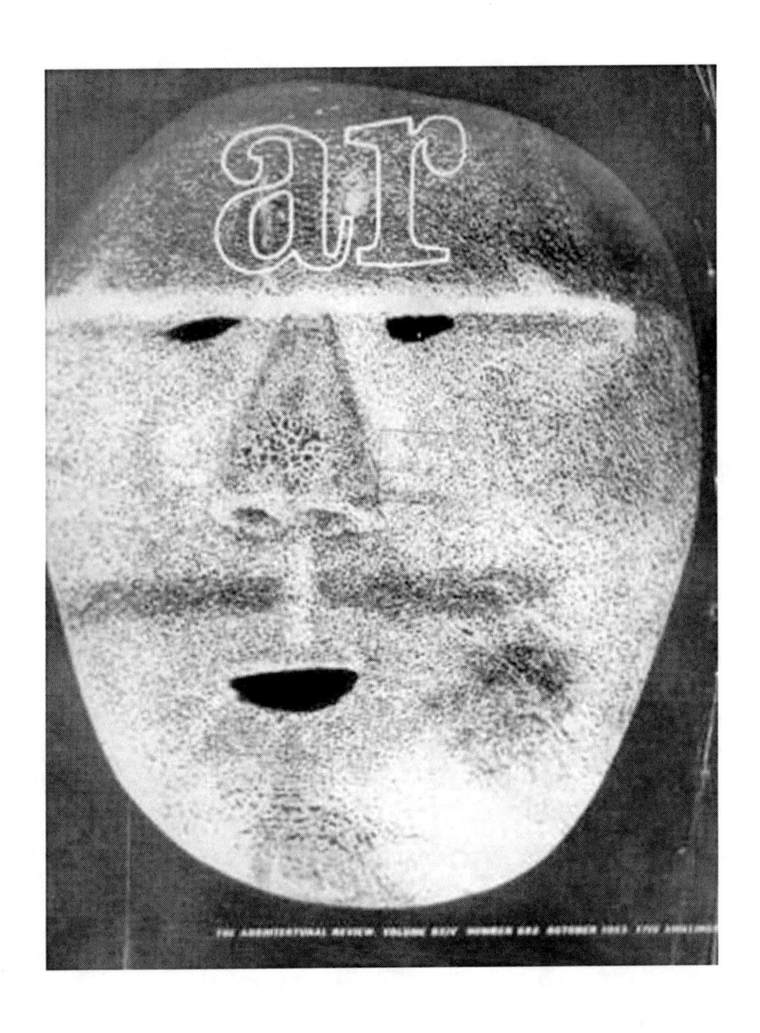


Fotografía de una máscara de hueso poroso fabricada por esquimales, incluida en el apartado Arte y utilizada como portada de la revista Architectural Review en la que Banham hacía una reseña de la exposición.

[10] Véase el texto *El surrealismo en sus obras vivas*, escrito por André Bretón en 1953. André Bretón: *Manifiestos del Surrealismo*. Visor Libros. 2002.

[11] Alison y Peter Smithson: *The Charged Void: Architecture*. The Monacelli Press. 2002. Pág. 118.

[12] Véase *Eduardo Paolozzi: Writings and Interviews*. Ed. Robin Spencer. Oxford University Press. 2000. Págs. 69 y siguientes.

[13] La proyección de Paolozzi en el ICA fue muy comentada, pues en ella Banham, al parecer, se dedicó a mostrar su disgusto: según Graham Whitham, *Banham, aunque no fue invitado, se coló en la reunión, así que su nombramiento como secretario del IG* (en agosto del mismo año), *no carecía de ironía*. (Véase el apartado Cronología del catálogo *El independent Group*. Op. cit. Pág. 20).
Henderson, por su parte, comentó lo siguiente: *Banham se mostró muy vociferante y sermoneador sobre el espectáculo de Paolozzi, principalmente porque las imágenes no se presentaron y argumentaron de modo lineal, sino que se ofrecieron en bruto, arrugándose en las fauces al rojo del epidascopio...* (quiere decir, quemándose al calor del proyector de opacos). Según Whitham, *la agresiva surrealidad del espectáculo de Paolozzi puede ser en parte la razón por la que Banham se refugió en la risa mordaz a medida que las imágenes se sucedían en la pantalla*.
Banham, ocupado en aquellos momentos casi en exclusiva por la *estética de la máquina*, no entendía muchas de las cosas que realizaban, *en bruto*, sus amigos artistas. Y éstos aguantaban sus ironías, aunque con dificultad, quizás debido a la influencia que mantenía en medios tan relevantes como *Architectural Review*.
Para William Turnbull, en cambio, el espectáculo de Paolozzi no fue ninguna revelación, pues en París había coleccionado con él páginas de revistas (norteamericanas) para empapelar las paredes de su habitación y contemplar lo que ocurría cuando las miraban juntas. (Pág. 21)

[14] Véase la obra citada, *As Found. The Discovery of the Ordinary*. Ed. Claude Lichtenstein & Thomas Schregenberger. Lars Müller Publishers. 2001.
De acuerdo con la estética del *as found*, el orden profundo de las cosas no se encuentra pensando, sino haciendo y seleccionando. La estructura original de las cosas se encuentra dada, sin propósito, o aparece espontáneamente durante el proceso de ejecución de la obra. En un escrito de los Smithson realizado a finales de los años 80 y titulado *As Found and the Found*, explicaron lo siguiente: *mirando hacia atrás hacia los años 40 y 50 –el período de Dubuffet y Pollock– la imagen se descubría en el mismo proceso del hacer. La imagen no estaba prefigurada...*
La expresión *as found* se refería a la manera radical de tomar conciencia de las cosas que consiste en apreciarlas poéticamente, tal y *como se encuentran:* una pared estropeada o los dibujos de los niños en la calle, por ejemplo. En este caso, lo original y lo ordinario se confunden, de la misma manera que se confundieron en el arte *pop*.

La estética del *as found*, por otro lado, se relacionaba con la ética de la honestidad. Heredera del surrealismo y el *art brut*, la estética del *as found* se enfrentó a las Bellas Artes para mostrar que puede descubrirse un orden profundo y significativo en las cosas cotidianas.

[15] Véase Claude Lévi-Strauss: *El pensamiento salvaje*. Ed. Fondo de Cultura Económica. Madrid 2002 (1962). Capítulo 1º, *La ciencia de lo concreto*. Pág. 55.
El *bricoleur* y el *salvaje*, según el antropólogo, llegan a una *ciencia de lo concreto* en la cual las cosas y los acontecimientos sólo significan por su relación estructural con cosas y acontecimientos diferentes. También puede verse: M. Prada. *El sentido del montaje y la técnica del collage*. Cuaderno de Notas, nº 10. Ed. ETSAM. 2004.
La profunda relación entre el surrealismo y el estructuralismo, por otro lado, ha sido puesta de manifiesto por Octavio Paz en varias de sus obras.

[16] *Autobiographical Sketch. As Found. The Discovery of the Ordinary*. Op. cit. Págs. 92 a 94.

[17] Unos meses después de que se clausurase la exposición *Parallel of Life and Art*, Paolozzi y Henderson, junto con Patrick Collard, realizaron en el ICA una presentación con fragmentos de película que titularon *The Pattern of Growth*. También en aquellos años, el pintor Giuseppe Capogrossi comenzó a realizar los *patterns paintings* que le hicieron famoso. Unos años después, el arquitecto Christopher Alexander, que había participado en algunas reuniones del Team X, estudió nuevos sistemas de composición, arquitectónica y urbanística, basados en patrones estructurales *(pattern languages)*. Según Alexander, cada patrón describe un problema que ocurre una y otra vez en nuestro entorno, para describir después el núcleo de la solución a ese problema, de tal manera que esa solución pueda ser usada más de un millón de veces sin hacerlo ni siquiera dos veces de la misma forma: *si nos fijamos en las construcciones de una determinada zona rural, observaremos que todas ellas poseen apariencias parejas (tejados de pizarra con gran pendiente, etc.), pese a que los requisitos personales por fuerza han debido ser distintos. De alguna manera la esencia del diseño se ha copiado de una construcción a otra, y a esta esencia se pliegan de forma natural los diversos requisitos. Diríase aquí que existe un patrón que soluciona de forma simple y efectiva los problemas de construcción en tal zona.* Un patrón, para Alexander, describe un problema de diseño recurrente que surge en contextos específicos de diseño, y presenta un esquema genérico probado para la solución de dicho problema. El esquema de la solución, por tanto, describe un conjunto de componentes, así como las maneras en que dichos componentes colaboran entre sí.

[18] *Journal of the University of Manchester Architecture and Planning Society*, nº 2, 1954. El interés por las formas que pueden entenderse como texturas o tejidos llevó a Paolozzi y los Henderson a fundar, en el año 1954, la empresa Hammer Prints. Ltd. La empresa estaba dedicada, según los estatutos, al *diseño y producción de papeles pintados, tejidos, cerámicas y otros objetos de uso doméstico*.

[19] Las fotografías que Henderson tomó después de la guerra en el barrio obrero donde vivía (Bethnal Green, en el East End de Londres) también influyeron en los Smithson. Eran fotos callejeras con personajes y objetos cotidianos, fotos de niños jugando en la calle, pintando en el suelo y las paredes. Estas fotografías, además de mostrar el valor de lo encontrado por casualidad, mostraban la estrechez del ideal de zonificación defendido por los CIAM: en la calle, además de circulación, se encuentran los niños jugando y dibujando sobre el asfalto.
En julio de 1953, 2 meses antes de inaugurar la exposición *Parallel...*, los Smithson se reunieron con los líderes del Movimiento Moderno en Aix-en-Provence. Allí les mostraron su documento *Reidentificación urbana* acompañado de fotos de Henderson y numerosos diagramas.

[20] Se han realizado muchas interpretaciones sobre el origen de la palabra *brutalismo*; la más pintoresca, quizás, es que alude al apodo de estudiante de Peter Smithson *"Brutus"*. Pero en rigor la palabra y la idea de *brutalismo* proceden del término francés *art brut*, que no significa *arte bruto*, sino *arte en bruto* (*row art*, en inglés). La palabra *brut*, en francés, significa crudo, áspero y sin refinar. Así los franceses dicen *champagne brut* cuando el champagne es áspero y muy seco, y así decimos, también en español, *diamante en bruto*. En este sentido, lo *brut* es un valor que se opone a lo excesivamente elaborado, lo pulido o excesivamente refinado.
Sin embargo, al pasar desde la palabra francesa *brut* a la inglesa *brutalism*, y desde ésta al *brutalismo* español, parece imponerse el significado de lo *brutal* sobre la crudeza del *brut*. El problema es que lo *brutal*, que aparece explícitamente como prefijo de ambos *ismos*, significa, en inglés y español, *bestial*, y la bestialidad, evidentemente, no es un valor. Otra interpretación, aunque mucho más forzada, procede de David Robbins. Según Robbins, la discusión de Moholy-Nagy (en su libro *Vision in Motion*) sobre el fotomontaje tiene un aroma típicamente *brutalista* en tanto lo compara con una sinfonía futurista de ruidos *(bruits)* electrónicos.

[21] Los artículos de María Teresa Valcarce acerca del Nuevo Brutalismo, publicados en los números 7 y 8 de la revista Cuaderno de Notas (Departamento de Composición Arquitectónica de la ETSAM, años 1999 y 2000) ilustran la confusión que rodeó al *brutalismo* en los años de su nacimiento.

[22] Véase el artículo de Reiner Banham. *The New Brutalism*, Architectural Review. Diciembre, 1955.

[23] El horror y la decepción que causó la Segunda Guerra en los espíritus más sensibles de la época debieron ser doblemente dolorosos, pues reproducían los horrores y decepciones sufridos con la Primera Guerra y permitían constatar, a la vez, la ineficacia del arte y la cultura anterior para construir un mundo mejor. *¡A qué tensiones debe estar sometida una época, para que sea posible algo de esta naturaleza!* escribió Burckhardt refiriéndose a las obras de Wols. Una consecuencia de ese horror fue la reacción de

muchos artistas contra la sofisticada cultura anterior y, particularmente, contra el arte de la abstracción geométrica. La apertura en el año 1950 de un taller de arte abstracto en la *Académie de la Grande Chaumiére*, por ejemplo, llevó a escribir al crítico Charles Etienne un artículo con el título *¿Es el arte abstracto un academicismo?* Allí se oponía a la dictadura de los mecanismos del arte abstracto y geométrico, y defendía un arte nuevo capaz de profundizar en la *soledad glacial de lo universal y en el espesor micro-biano de la vida*. El nuevo arte informal, que se apoyaba en el tratamiento plástico de los materiales, en las texturas y en el gesto inconsciente, debía obedecer a un orden profundamente humano y no a uno meramente plástico. Se trataba así de recuperar, como años antes había propuesto Klee, la estrecha relación del artista con la naturaleza y con el *corazón de la creación*.
Otra consecuencia de la guerra fue que, en Francia e Inglaterra, las cosas más triviales adquirieron un nuevo sentido. Terminada la guerra, las cosas más triviales adquirieron el valor de lo extraordinario y así, en la poética de lo ordinario, encontraron algunos artistas, como Paolozzi y Henderson, la conexión entre el arte y la vida. No es casualidad que el *arte pop* apareciera en aquellos años de su mano, con la misión de elevar lo ordinario a la categoría de extraordinario.

[24] Op. cit. *The Charged Void: Architecture.* Pág. 82.